妖琦庵夜話
その探偵、人にあらず

榎田ユウリ

角川ホラー文庫
18017

妖琦庵夜話《ようきあんやわ》

その探偵、人にあらず

こんばんは、九時のニュースです。

今日七日午後五時、財団法人日本水泳連盟で記者会見が行われ、日本水泳連盟会長・水際義男《みずぎわよしお》氏は、次回ブエノスアイレスオリンピックの日本代表から、瀬田翔太郎《せたしょうたろう》選手を外すことを決定したと発表しました。

『本当に……本当に残念でなりません。みなさんご存じのとおり、瀬田選手の実力をもってすれば、全種目金メダル獲得も夢ではないと思っておりました。念のため行ったDNA鑑定の結果が、まさか……』

『会長……』

『す、すまない瀬田くん。一番悔しいのはきみだろう……あんなに練習したのに』

『はい……僕もびっくりしました……確かに子供の頃から泳ぐのは大好きでしたけど、まさか自分が……』

瀬田選手はDNA鑑定の結果、ヒト変異型遺伝子、いわゆる妖人《ようじん》DNAを持つ《河童《かっぱ》》であることが判明、オリンピックへの出場資格を失いました。今回の結果はスポーツ界に大きな影響を及ぼし、各競技の団体は早急に妖人DNA検査を選手たちに義務づける流れとなりそうです。

では、次のニュースです。

※

おか　あさん

な　あに

おかあさんて　いいによい

せんたくしていた　によいでしょ

しゃぼんの　あわぁの　によいでしょ

頑是ない歌声が耳を訪れる。

『妖琦庵《ようきあん》』の亭主は、手のひらに包んでいた陶器から視線を上げた。ぽってりと白い楽《らく》茶碗《ちゃわん》を畳に置き、背筋を伸ばして立ち上がる。畳の軋《きし》むかすかな音だけが、歌声と重なって闇に流れた。茶室から中庭へ降りる。月は雲に隠れていたが、亭主の草履は慣れた順序で敷石を踏んでいく。小さな中庭には石灯籠《いしどうろう》がひとつ点《とも》り、狭い範囲をぼんやり照らしていた。夕方に降った雨が土の色を濃くし、敷石の僅《わず》かな窪《くぼ》みに水を溜《た》めている。

その中で八重桜の花房が、くったりと横たわっていた。

亭主は母屋へ入ると、台所へ向かった。灯《あか》りをつけ、紬《つむぎ》の袂《たもと》を軽く脇のほうへ押しやり、棚の上にあった信楽壺《しがらきつぼ》を抱える。

両手で抱えるほどの壺を食卓の上に載せ、蓋《ふた》を取った。ざらついた素焼きの底がちらほらと見える。もう残り少ないが、あの子の欲しがるぶんには足りるだろう。

壺を抱えて、再び中庭へと出た。歌声が近くなっている。

腰掛け待合に座り、両脚をぶらぶらさせている姿を見つける。暗がりの中だが、どんな恰好《かっこう》をしているかは見なくともわかっていた。人間で言えば五歳くらいの外見で、茸《きのこ》の笠《かさ》にも似た髪型をし、薄青いスモックを着ているはずだ。半ズボンを穿《は》き、リュックサックを背負い、足もとは黄色い長靴。この恰好が変わることはほとんどない。亭主は静かに歩み寄り、自らも隣に腰掛けた。小さな顔にある大きな瞳《ひとみ》が亭主を見上げて、ぱちくりと瞬《まばた》きをする。

「くださいな」

幼い声が言った。

「来ましたね、《座敷童《ざしきわらし》》」

壺を置き、亭主が言う。

「あい。きました」

「いつものでいいかい」

「あい。いつもの。つのつの、くださいな」

亭主は壺の蓋を開けた。

大振りな木匙《きさじ》でざらりと星形の菓子を掬《すく》い、小さな巾着《きんちゃく》袋に入れる。

ちりめんの巾着袋に金平糖が適度に詰まり、手の上で袋をぽんと揺すると、お手玉のような感触になった。『妖琦庵』の茶会でしばしば使う、特別な金平糖だ。

一般の店では売っていないこの菓子を目当てに、《座敷童》はときおり姿を見せる。亭主は巾着袋を《座敷童》に渡したあと、さらにもう十粒ばかりを、小さなふくふくした手のひらの上に載せてやった。

「おまけですよ」

そう言うと《座敷童》は大きく目を開いて「おまけ。うれしい。ありがとう」と言った。さっそく一粒口に入れ、桃のような頰を緩ませる。

「おいしいかい」

「おいしい。あまい」

「それはよかった」

「つのつののおかし、だいすき。あまくてだいすき。おかあさんにもあげるの」

その言葉に、亭主はおやと首を傾げる。

「おまえ、母さんがいるんですか」

「いる。おかあさん、すき。こんぺいとう、すき」

真剣な顔で頷《うなず》き、《座敷童》はふた粒めを摘《つま》んだ。

水色の金平糖を見て「これはきっと、そらのあじ」と呟《つぶや》く。実際は薄荷味だ。

「《座敷童》、母さんはどこにいるんです？」

「いる。とおくないとこに、いる。ほんとうに、いるの。おかあさん、だいすき。だから、つのつのあげる。ぼくのおかあさんなの。ぼくだけの、おかあさん」

珍しく、強くそう主張する。ぼくのおかあさんなの。亭主は顔に出さずに訝《いぶか》しんだ。最近ではすっかり数の減った《座敷童》だが、単独で放浪を続けるのが彼らの習性のはずだ。従って家族というものはない。もう少し具体的な質問をしようとしたとき、母屋から「先生、お庭ですか」と家令の声がした。

やれやれと立ち上がり、《座敷童》に「すぐ戻るからね」と言い残して、母屋の玄関へと入る。きゅんと吊《つ》り上がった目をした家令が、電話の子機を差し出し「鱗田《うろこだ》さんです」と告げた。亭主は苦虫を嚙《か》みつぶした顔になる。もらって嬉《うれ》しい電話ではない。

「またかい。あたしは出られませんよ。風邪で寝込んでいるんだ」

「その言い訳は前回使ってしまいました」

「なら長期旅行中。相当遠いとこに……ジンバブエあたりに行ってることにしなさい」

「先生、パスポートも持っていないのに海外旅行はないでしょう。そろそろ出てあげてはどうです。これで今週十四回目の電話なんですから」

そこまで言われては仕方ない。亭主は腕を伸ばし、渋々電話を受け取った。

「はいはい、なんですか。……ええ？　新人？　なんだってウチに連れてくるんですか。そんなこた、あたしの知ったこっちゃないですよ。だいたいね、今までだってろくなのが来てないんだ。これでも忙しいんです。ぼんくらのお相手はご免被ります」

電話の相手は辛抱強く『そこをなんとか』と繰り返す。それでも亭主が拒絶し続けると『また電話しますんで』と苦笑いを聞かせた。亭主は「もうしなくて結構」と素っ気なく返す。

急ぎ、中庭に戻る。ほんの二分で電話を終えたのだが、《座敷童》はすでにいない。待合に一粒だけ赤い金平糖が落ちていた。

亭主は屈《かが》み、金平糖を拾う。水色が空の味ならば、赤はなんの味だろうか。木戸をくぐり、通りに出てみると、闇に遠ざかるリュックサックがかろうじて見えた。右へ、左へ、小さく揺れて歌を口ずさんでいる。

おか　あさん　　なあに

おかあさんて　いいによい

おりょおりしていた　によいでしょ

たまごやきぃの　によいでしょ

懐かしい童謡は亭主の耳にこびりつき、なかなか離れていかなかった。

※

生まれて初めて甘い卵焼きを食べたとき、この世にこんな美味があるのかと驚いた。きいろ。

可愛いひよこのような黄色。

童話のお月さまのような黄色。

それはしっとりと美しく、小さなケーキのように四角く、子供の口に合わせて小さなブロックになっていた。まだほの温かい卵焼きを口に入れ、舌でじんわりと押してみる。僅かに残った半熟部分から、甘い卵液が染み出してくる。お菓子みたいだと私は思った。滅多に口にできない、甘いお菓子。砂糖の味。うっとりして、いつまでも口の中に置いておきたくなる。

食べさせてくれたのは家政婦だった。たしか、小学校に上がる前のことだ。

私の家には昔から家政婦が来ていたが、神経質な母との折り合いが悪く、みな長続きしなかった。彼女たちの仕事は掃除と洗濯であり、炊事は任されていなかった。台所は母の聖域であり、誰も立ちいることのできない場所だった。幼かった私が勝手に冷蔵庫を開けようものなら、たちまち尻《しり》を剝《む》かれ、腫《は》れ上がるまで叩《たた》かれた。勝手にものを食べてはならない。余所《よそ》で食べ物をもらってはいけない。

それが我が家の……いや、私に課せられたルールだった。

献立は厳密なカロリーコントロールの上に成立していた。朝、昼、晩。同じ時間に、決められた量だけを食べる。私にとっては、いつもの足らない量だったが、おかわりという言葉は我が家には存在しなかった。おなかがすいたと訴えることも、はしたないとされ、罰の対象だった。

母は太るのを嫌った。恐れていたと言ってもいい。

肥満気味の人が道を歩いているだけで、顔を背けて道路の端へ移動するのだ。まるでその人が、太るウィルスのキャリアであるかのように。

母は大変美しい人だった。

バレリーナのようにほっそりとしていて、いつも流行の服で着飾っていた。昔はファッションモデルをしていたと聞いていた。ときどきは母の客が来た。手土産の菓子やケーキがテーブルに載ったが、私の口に入ることはまずなかった。客が「食べていいのよ」と言っても、私は手を出さなかった。食べなければあとで母に褒められるが、客の目の前でがっついたりすれば尻を叩かれる。母はお気に入りのティーセットで紅茶を淹《い》れながら上品に笑った。客は痩《や》せている私を見て「お母さんに似たのね」と言った。「羨《うらや》ましい、なにを食べても太らない体質だなんて」と言われたこともある。私はなにも言わず、ただ母の顔を見ていた。母は「この子は、なにからなにまで私に似たの」と微笑んだ。嬉しそうな母を見て、私も嬉しかった。

お父さんは痩せた女の人が好きなのよ——これもまた母からよく聞いた台詞《せりふ》だった。しかし父からそういった言葉を聞いたことは一度もなく、そもそも父が家にいること自体稀《まれ》だった。私はいまだに父とはほとんど口を利かない。

食卓に甘いものが載ることは極端に少なかった。私にとって甘味とは、カボチャやサツマイモなどの野菜、果物やそのジュースに含まれる果糖だった。ごく稀に菓子を与えられれば、天にも昇る気持ちだった。

砂糖の在処《ありか》を私は知らなかった。宣伝に惑わされる子供になるからということで、テレビも見させてもらえなかったため、世の中にどれほどの菓子が溢《あふ》れているのかも知らなかった。もっとも、学校に上がってからはそういうわけにもいかなくなったが。

厳しい母ではあったが、なにもかも私のためだった。

たったひとりの息子である私のために、母は甘くない卵焼きを作ってくれた。少しの塩をいれただけの卵焼きだ。母の愛情が込められていた。私は世の中の子供はみなこんな味の卵焼きを食べているのだと思っていた。卵焼きはおかずだ。おやつではない。そこに砂糖を入れるなんて、考えたこともなかった。

だから、こってりと甘い卵焼きを食べたときには衝撃が走ったのだ。

美味《おい》しいでしょう、ママには内緒よ——。

家政婦が言った。私は卵焼きを貪《むさぼ》り食べながら頷き、同時に戦慄《せんりつ》していた。これは裏切りだ。大好きな美しい母を裏切ってしまったのだ。

甘い卵焼きはぼとぼとと胃に落ち、私は左手の指を舐《な》める。砂糖の成分が身体に染みこんでいくのを感じる。自分から砂糖の匂いがしたらどうしよう。母はどんなに怒るだろうか。きっと何度も叩かれるだろう。

そう考えながらも、私は黄色い塊に手を伸ばすことをやめられなかった。

一

「入れませんよ、砂糖とか醬油《しょうゆ》とか。卵焼きはお出汁《だし》です。だから、だし巻き玉子って言うんじゃないですか」

「それは寿司屋で食うやつだろうよ。俺んちじゃあ、卵焼きは砂糖と醬油だったんだよ。甘ッ辛くてうまいし、飯のおかずになる」

「僕はいやだなあ、そんなの。せっかくの黄色が醬油色で台無しになっちゃいますよ。その点、お出汁の卵焼きは綺麗《きれい》です。つやつやしてて、ジューシィで。うちの母が作ってくれるだし巻きはとても美味しいんですよ」

「関西風なんだろ。俺は江戸っ子だからな。濃い味が好きなんだ」

「僕も東京生まれですけど、山の手ですから」

「はいはい、ボンボンめ。下町育ちで悪かったよ」

「ウロさん、どちらのお生まれでしたっけ」

「四つ木《よぎ》」

「え、それどこです？」

「おまえねえ、脇坂《わきさか》……。ホントに東京の生まれかい？　四つ木は葛飾《かつしか》区だよ。荒川《あらかわ》を越せば八広《やひろ》や向島《むこうじま》、つまり墨田《すみだ》区だ」

「へーえ。僕、世田谷《せたがや》区生まれなんで、そっち方面疎くて」

「世田谷の、どこ」

「成城《せいじょう》です」

「ボンボンめ」

鱗田仁助《にすけ》は先程と同じ台詞を繰り返し、目の前に座る新人刑事の顔を見た。男のくせに妙につるんとした顔の脇坂は、熱心に蕎麦《そばや》屋の品書きを眺めている。僅《わず》かに光沢のある上等そうなスーツは、鱗田のくたくたになった背広より数倍高価に違いない。

「エ、なんにしましょ」

とぼけた顔の店主が注文をとりに来た。昼時をすぎているので、客は鱗田と脇坂だけだ。アルバイトの女の子もすでに帰ったらしく、店内は閑散としていた。

「えーと、僕は親子丼で」

「俺は蕎麦定食。冷たいの。冷たい蕎麦、ね」

はいヨ、と店主が厨房《ちゅうぼう》に戻っていく。頭の薄い小柄な親父で、愛想は悪くない。ただこの蕎麦屋『藪蛇庵《やぶへびあん》』には大きな欠点がひとつある。初めのうち客はその欠点に驚き、慣れてくる頃には常連となり、挙げ句に欠点自体を楽しむようになる。ちなみに味の問題ではない。味は普通にうまいのだ。

「ウロさん、『藪蛇庵《こ》』好きですよね」

おしぼりで手を拭《ふ》きながら脇坂が言う。

「いつ来てもすいてるからな」

「そういや、昼時でも相席になったことないなあ。レトロで昭和な感じが面白いです」

そうかい、と鱗田は薄い茶を啜《すす》る。

「俺にとっちゃ、昭和はそう昔じゃないんでね。レトロと言われてもピンとこねえや」

「僕も一応昭和生まれですよ。記憶はほとんどないですけど」

にこにこと脇坂が言う。

「でも今度、あっち行きませんか。ほら交差点のところにできたナチュラルフードのカフェレストラン。ランチも種類が多くて、美味しそうだし」

「やだよ」

にべもなく鱗田は返す。

「玄米カレーだの、雑穀米のピラフだの、わけわからんもんを食わせる店だろ。俺はああいうのはだめなんだ。ええとオーガニック、か？」

「オーガニックでマクロビなんです」

「枕木？」

「マクロビ。とにかく、身体にいいんですよ。デザートには豆腐プリンもあります」

「豆腐は豆腐でいいじゃねえか。なんでプリンにしなきゃなんないんだ」

鱗田には理解不能な世界である。豆腐なのに甘いなんて気持ちが悪いではないか。

「そりゃやっぱりヘルシーだからですよ。大豆は高タンパク低脂肪、美容にもいいし。このあいだその店で生活安全部の子たちとお茶したんですけど、豆腐プリン、いけましたよ？　あ、あと、日比谷《ひびや》に新しくできたビルの中のガレット屋さんも行きたいな。ガレットってわかります？　わかんないですよね。そば粉のクレープで、フランスのブルターニュ地方の料理だそうです。クレープと違って中身は卵とかハム、チーズなんかのしょっぱい系なんですよ。でも僕はクリームチーズと蜂蜜《はちみつ》みたいな組み合わせにして、スイーツ感覚で食べるのもなかなか捨てがたいと思ってるんですよねー。ただ、生クリームはダメです。あれはやっぱり普通のクレープで、コンフィチュールとアイスなんかを添えて……」

「はいはい、もういい。もう止まれ」

鱗田はうんざり顔を隠さず、右手をかざしてストップをかける。

「俺の先輩にたいそう物知りで、歩く辞書と呼ばれてた人がいたが……さしずめおまえは歩く女性誌だな」

「いやあ、それほど詳しいわけでも」

「なに照れてんだ。褒めてねえよ」

嫌みの通じにくい新人にはっきり言うと「あ、そうなんです？」ととぼけた顔をする。ある意味打たれ強い。というか、鈍い。

鱗田はベテラン刑事として、過去に何人もの新入りを指導してきた。頑固者、気取り屋、自信家にはにかみ屋と、いろいろなやつがいたものだが、この手のタイプは初めてだ。オカマでもないくせに、趣味嗜好《しこう》、考え方まで女っぽいというか……乙女系男子とか言うらしいが、意味がわからない。なんで男子なのに乙女なのだ。その一方で、本物の、つまり女の乙女はもはや絶滅寸前という気もする。

「脇坂、おまえ姉ちゃんか妹いるんだっけ？」

「いますいます。姉がいます。僕、末っ子なんです」

なるほどなと鱗田は納得した。姉から多大なる影響を受けて育ったのであろう。そういえば数日前、五人ばかりの女性警察官に囲まれて日比谷を歩く脇坂を見かけた。私服姿できゃあきゃあと楽しげにお喋《しゃべ》りを交わす彼女たちの中に、脇坂がごく自然に溶け込んでいたのを思い出す。

脇坂は今年二十六になるそうだから、五十五の鱗田とは親子ほども年が離れている。背は高く、手足が長い。まあ悪くないご面相で、優しげな風情をまとっている。甘ったるい顔つきだから、甘ったるい食い物が好きなのか。いや、なんの因果関係もあるまい。鱗田だってアンコ系の和菓子なら好物なのだ。

刑事は通常、単独ではなくふたり組で行動するのがルールだ。果たしてこの若造とうまくやっていけるか、正直自信がなかった。べつに脇坂が嫌いなわけではないが、あまりにタイプが違いすぎる。

鱗田は下町で小さな工場を営む両親のもとに生まれた。弟がふたりいて下の弟とはそこそこ交流もあるが、もうひとりとは昔から折り合いが悪く、いまではほぼ没交渉だ。高校卒業後、しばらく職を転々とした鱗田は、二十歳で警察官に採用された。階級的には一番下から叩《たた》き上げられ、二十九歳で引き抜かれて警視庁捜査一課の刑事になり、二十年間現場をかけずり回った。

それなりに成果を上げてきたつもりだが、いつも上司と反りが合わずに要らぬ苦労をし、結局は現在の職場につまはじきとなった身だ。

一方、脇坂は山の手育ち。しかも高級官僚の伯父《おじ》を持っている。

この青年が配属されたときの挨拶《あいさつ》はかなり印象深いものだった。

――念願叶《かな》ってあこがれのY対《ワイたい》に来ることができました！　いやあ、コネってのは持っとくものですね！　みなさん、よろしくお願いいたします！

さわやかな笑顔で、そんなふうに言ってのけたのだ。鱗田を始め、他の者たちもどう反応していいやらわからず、ただポカンとしてしまった。親ならぬ伯父の七光を得意げに喋るのも珍しいが、さらにこんな部署へコネを使って来る意味があるのか？　という驚きもあった。伝わりにくい冗談なのかとも考えたが、どうやら違うらしい。本人はいたって真面目に挨拶したつもりなのだ。明るいピンクのネクタイも、うらぶれた雰囲気の部屋ではものすごく浮いていた。いわゆる天然系というやつか。

Y対。

正式名称は長い。いやになるほど長い。

警視庁ヒト変異型遺伝子保有該当者（通称妖人《ようじん》）対策本部、である。

これが略されて妖人対策本部となり、さらに略されてＹ対となった。もともとＹ対というのは警察内部の隠語だった。妖人という名称には蔑視《べっし》のニュアンスを感じるという世間体から、頭文字を用いたわけだが、現在では一般に浸透している。

Ｙ対の任務は、文字通り妖人絡みの事件の捜査である。

では、妖人とはなんぞや。

簡潔に言えば、近年発見された人類の亜種である。

もう少し詳しく説明すると『人間と思われていたが、遺伝子的には別種と判断されつつある存在』だ。

妖人の発見は——もとい、ヒト変異型遺伝子の発見は七年前に遡《さかのぼ》る。

その遺伝子を持つ人々の一部は、明らかに常人と違う特性を持っていた。たとえば、《河童《かっぱ》》さながらの泳力と心肺能力を持つ者、《猫又》のようにしなやかかつ俊敏な運動能力を持つ者、《二口女》なみの食欲と消化能力を持つ者もいる。このように、人間離れした特性を持つことから、彼らは『妖人』と呼ばれるようになった。ただし、妖人ＤＮＡを持つ者すべてが、こういった特性を示すわけではない。むしろ、特殊能力の発露は稀《まれ》だということが、のちの研究で明らかになってくる。

当然ながら、発覚当時は大混乱だった。

なにしろ人間という種がふたつに分かれるという未曾有《みぞう》の出来事なのだ。いや、そもそも妖人は人間といえるのか？

『人間』を決定づける定義とはなにか。霊長類ヒト科にはゴリラやチンパンジーも含まれるという説すらある。遺伝子的に、人間とゴリラと妖人にどれほどの差違があるのか。

妖人は人間か、人間ではないのか。

そして自分は妖人なのか、人間なのか。全国民がそう考えた。

政府は緊急に有識者を集めた。生物学者は、妖人は遺伝的に考えればヒト、つまりホモサピエンスとは言い難いと主張した。社会学者は、いままで同じ人間として生きてきた存在を、この期に及んで別の種とすべきではないと力説した。話し合いは平行線のままだったが、政府は結論を急いでいた。一刻も早く見解を発表し、世間を納得させる必要があった。

結局、『妖人はヒトと同一の存在とはいえないが、ヒトに準じた権利を所有する』という、非常に曖昧《あいまい》な見解が発表された。ヒトと同一ではない、と言われた妖人側は当然納得できなかったわけだが、異を唱えるにはあまりに数が少なかった。不思議なことに、この亜種発現は日本に特有のもので、他国ではほとんど見られない。稀に存在していた場合でも、日系の二世か三世である。

妖人DNAの発見から三年が経過した頃、Y対が組織された。設立当初は注目されていたY対だが、いまや捜査一課の使い走りに近い。

現在のY対は担当刑事ふたり……つまり鱗田と脇坂、あとは事務方という少人数体制である。これでは捜査もままならない。部署が残っていることが奇跡に近い。

それらの諸事情をすべて承知で、脇坂はY対配属を希望したようだ。

東京は山の手生まれ、お偉いさんの伯父を持つ坊ちゃんが、なぜY対配属を希望したのか……理由はいたって明快だ。

妖怪が好きだから、である。あまりに単純すぎる。浅薄と言ってもいい。

好きなことを仕事にしたい……それは誰しもが考えることであり、同時に多くの人が諦《あきら》めることでもある。好きこそものの上手なれとは言うが、趣味ならばともかく、職業選択ともなれば別の話だ。『好き』と『適性』はしばしば一致しない。

脇坂の場合も、それが当てはまる。一緒に仕事をするようになって、まだ二か月弱だが、もう鱗田にはわかっていた。脇坂は刑事に向いていない。悪びれず素直で、人を疑うことをあまりしない性格。しかも温室育ちの世間知らず、詳しいのはグルメとダイエットとファッションの情報に限る――これでは女性誌の編集者にでもなったほうがよかったんじゃないのか。以前、脇坂にそう言ったところ「でも、女性誌で妖怪特集はできませんよね」と真顔で答えられてしまった。

「そういえばウロさん、昨日のニュース見ました？　水泳連盟の」

妖怪好きのボンボンが聞いた。

「ああ、《河童》な」

「やっぱり手の水かきが発達してるのかなあ？　なにか続報ありますかね。店長さん、テレビつけてもいいですか？」

脇坂が中腰になって、厨房《ちゅうぼう》の店主に聞く。店主は「エ、どうぞ。リモコンはカウンターに」と答える。脇坂は立ち上がってリモコンを手にし、壁ぎわのテレビモニターに向けた。画面にはＣＭが流れていた。人気タレントが新発売のビールを爽《さわ》やかに飲み干したあと、ＣＭが切り替わる。脇坂が「あ。これ」と呟《つぶや》いた。鱗田も気がついて、画面に注目する。

ポップな電子音のＢＧＭが流れ、画面にアニメーションの女の子が登場していた。反対側からは、別のキャラクターが出てきた。女の子と同じサイズの畳んだ傘に、大きな目がひとつ。足が一本だけにょっきりと出て、下駄《げた》を履いた——いわゆる《からかさ小僧》だ。

両者とも、子供向けに可愛らしい絵柄にしてある。

と、そこへ別の男の子が現れた。

男の子は《からかさ小僧》を指さして『ようかいだ！　ようかいだ！』と叫ぶ。《からかさ小僧》はびっくりしてピョンと飛びはね、ひとつしかない大きな目から、ぽろぽろと涙を零《こぼ》す。

『だめよ、ようかいなんていっちゃあ』

女の子が男の子をたしなめる。男の子はムッとした顔で、

『じゃあ、なんてよべばいいんだい？』

と聞いた。女の子はさめざめと泣く《からかさ小僧》の隣に立ち、慰めつつ答える。

『まあ、しらないの？　このひとたちはようじんっていうのよ』

『ようじん？』

そこで画面に大きく『妖人』という文字が出る。ふりがなも振ってあった。

『そっかあ、きみはようじんか。ようかいじゃなくて、ようじんだね！』

男の子が言うと、《からかさ小僧》は嬉《うれ》しげに頷《うなず》いた。頷くといっても首がないので、身体全体をぶんぶん振る感じである。涙目もニコニコ目に変わる。それを見た女の子の顔がアップになって、笑いながらひとさし指をピンと立てた。

『ようじんのひとたちを、ようかいとよぶのはやめようね。みんな、おなじ日本にいきるなかまなんだよ！』

最後に、大きく法務省の文字——鱗田は呆気《あっけ》にとられた。

今日から子供向けの啓蒙《けいもう》コマーシャルが各局で放映されるという伝達は受けていたが、これはひどい。だから予め《あらかじ》見せてくれと言ったのに……頭の硬いお役人は鱗田たちの申し出を拒絶したのだ。

「うん、わかりやすいCMですよね！」

脇坂の感想に、もう一度びっくりさせられる。

「おまえ、なに言ってんだ」

「え？」

「ぜんぜんだめだ、こんなの」

そうかなあ、と脇坂は首を傾げ、明るい色の髪がサラリと斜めに落ちた。

「だって、妖人を妖怪と呼ばないようにというのは、正しいでしょう？　もともとは妖人も蔑称じゃないかって揉《も》めてたけど、結局定着しちゃったんですよね？」

それはそうだ。政府の決めたくそ長い名称など誰も使わず、当事者たちですら、自らを妖人と名乗っている。『妖』という言葉にはあまりいい意味がないと、お役所が気を回したようだが、無駄な労力だったわけだ。

現在、問題視されているのは『妖人』と『妖怪』をごっちゃにすることである。

「名称については正しいんだが、《からかさ小僧》はまずい」

「どうしてです？」

「いないからだよ」

鱗田が答えると、脇坂は「えー」と唇を尖《とが》らせて反論した。

「いますよぉ、妖怪《からかさ小僧》。アニメでもお馴染《なじ》みじゃないですか。《傘おばけ》という言い方もあって、妖怪愛好家として名高い村上健司《むらかみけんじ》氏によると、有名なわりに、戯画に現れるくらいで実際に出現したという報告はほとんど……」

「いやいやいや。蘊蓄《うんちく》はいいから」

右手をワイパーのごとく動かして、鱗田は脇坂を止めた。まったくよく喋《しゃべ》る男である。

女受けのよさそうな、清潔かつソフトな印象の脇坂だが、妖怪《ようかい》マニアでは恋人もできまい。お洒落《しゃれ》なフレンチレストランだの、話題のスイーツ店だのを熟知していようと、デート中に《河童》の伝承について滔々《とうとう》と語られてしまえば百年の恋もさめる。ちなみに鱗田は居酒屋でそれをやられた。

「《からかさ小僧》はいない。台帳にも登録がないしな」

「でも、妖人台帳はまだ完全じゃないと聞いています。これから《からかさ小僧》が登録される可能性も……」

「まず、ないだろうよ」

言い切った鱗田を見て、脇坂が「どうしてわかるんです」と聞いた。

「妖人DNAの発見から、まだ七年ですよね？　いまだにわからないことだらけだって、学者たちも言っているんだし……」

「だが、先生がいないと言ってたからな」

「先生？　どの学者ですか？　僕、妖怪学の人ならほぼ把握してます！」

自慢気な脇坂を見て、鱗田はハァ、と溜息《ためいき》をついた。

「そろそろおまえを先生に会わさんとなあ……」

Y対で仕事をする以上、あの男を避けて通ることはできない。否、彼なくして鱗田たちの仕事は成り立たないと言ってもいいほどだ。

しかし、あの男が脇坂を気に入るとはとても思えない。

なにしろあの男ときたら、偏屈という名の骨の上に、嫌みという名の肉を着て、文字通りの毒舌を持っているのだ。

「だから、どこの大学の先生です？」

「大学にはいないさ。お茶の先生だ」

「お茶？　あ、もしかして茶道？」

脇坂がチャンネルをＮＨＫに替えながら聞く。ニュースではなく気象情報が流れていて『今日は気持ちのよい五月晴れでした。関東では、夕方から夜にかけても引き続き晴れる見込みです』とアナウンサーが喋っていた。

「もしかしなくても茶道だよ。……食ったら、会いに行くか」

「アポなしですか？」

「先生にアポしてもあんまり意味なくてな。それに、出不精だからたいがい家にいる」

テレビは気象情報からニュースに変わった。硬い表情の男性アナウンサーが、四年半前に起きた連続殺人事件の裁判について語っている。残忍な手口で四人もの女性を殺した犯人の写真が映し出された。痩《や》せぎすの男はうっすらと嗤《わら》っているようにも見える。

「……この事件以来、妖人に対する風当たりが強くなりましたよね」

脇坂の言うとおりだ。世間の注目を浴びた連続殺人犯は、妖人だった。これがきっかけになり、どこぞの学者や研究者たちが『妖人の社会性の低さ』だの『キレやすさ』だのを語るようになってきた。

それらの意見に明確かつ科学的な根拠はいまだなく、中にはこじつけに近い理論を振りかざす者もいる。それでもマスコミに振り回され、妖人に対する偏見を持つようになった人々は多い。

そもそもY対が組織されたのも、この事件がきっかけだった。

当時、マスコミに踊らされた大衆は妖人の存在そのものに不安を感じていた。近所に妖人が住んでいると知っただけで、排斥しようという住民運動が起きたほどだ。

そこで世間の混乱を鎮めるため、警視庁はY対を設置した。

妖人が関わった事件が起きれば、すぐに動く部署がありますよというアピールだ。

さらに、タイミングの悪いことに、この混乱の中で妖人検査の簡易キットが完成した。もちろん誰にでも購入できるものではなかったが、病院関係者などは比較的容易に手に入った。簡易キットは妖人検査の暴走を生む。この時期、本人の了解を得ないまま妖人検査が行われたケースは数え切れない。半年後、本人の許可なく妖人検査をした場合は罰則が適用される『妖人検査法』が制定されるまで、混乱は続いた。本来あってはならないことだったが、現在法務省が管理する妖人台帳は、このときに発見された妖人たちの情報がベースになっている。

現在でも、一部に妖人検査の義務づけはある。警察官など、国民の安全に関わる公務員を希望する者、義務教育の教員を希望する者、議員として選挙に立候補したい者などはDNA検査を避けて通れない。

これが差別に当たるかどうかは、いまだ侃々諤々《かんかんがくがく》の論争中だ。

「エ、お待ちどぉ」

店主が厨房《ちゅうぼう》から出て来て、まず脇坂の前に膳《ぜん》を置いた。

脇坂は膳に載った丼の中身を見て「あぁ」とせつなげな声を上げる。続けて店主は鱗田の膳も持ってくる。鱗田はなにも言わないが、やはり膳の上を見て軽く眉《まゆ》を寄せた。

「読みが外れました……これ、玉子丼だ……」

「おまえ、カツ丼になると踏んだんだろう」

はい、と脇坂は悄然《しょうぜん》と割り箸《ばし》を持つ。親子丼がカツ丼になるのはグレードアップ感があって嬉しいが、玉子丼になるのは悲しい。鱗田のほうは蕎麦《そば》定食、炊き込みご飯と蕎麦のセットなのだが、温かいかけそばがついている。頼んだのは「冷たいの」だ。

『藪蛇庵』の最大の欠点にして特徴は、かなりの頻度でオーダーを間違えることである。バイトの女の子ならば問題ないのだが、この店主がだめなのだ。常連たちはみな諦《あきら》め、脇坂のように間違えられることを前提にオーダーをする者もいる。だが、今日の鱗田は本当に冷たい蕎麦が食べたかったので、残念だ。わざわざ二回言ったのに、やっぱりだめだった。

定食の小鉢には卵焼きがついていた。

食べて見ると、好みの甘辛味だ。まあ、これで相殺かなと、鱗田は温かい蕎麦に七味を振ったのだった。

※

「あ。なに、アカリ。それ。新しくない？」

ほうら、来た。

やっぱりエリナのチェックは鋭い。

たった今カフェテリアに入ってきて、おはようって向かいに座っただけなのに、もう私の胸元に光るアクセサリーを見つけてる。まあ、こっちもそれを予測して、襟ぐりの大きな服で来てるんだけどね。

「え、なになに」

「あー、ほんとだ。見たことないのしてる」

さっそく他のふたりも私の胸元を覗《のぞ》きこむ。近代史概論が休講になったって聞いて、絶対三人ともここにいるって思ったんだよね。やっぱりそうだった。べつに見せびらかしに来たわけじゃないけど……ううん、実はそう。エリナに自慢したかったんだ。私は「えへへ」と恥ずかしそうに笑って見せて、ちょっと肩を竦《すく》める。

首から下がっているのは、ホワイトゴールドのチェーンに、フラワーモチーフのペンダントトップだ。そんなに大きくはないけれど、控えめなところが逆に可愛い。大きすぎると安っぽくて、ガラスみたいだしね。

「週末のデートで、買ってもらったんだ」

「いいなー。アカリの彼氏ってお金持ちなんだ？　これ高そう。ルビー？」

チイに聞かれた私が答えようとするより先に、「ピンクサファイアでしょ」とエリナが言った。涼しい顔でアイスコーヒーを飲みながら、決して身を乗り出してきたりはしない。たぶん、(ルビーより安いピンクサファイアじゃん)って言いたいんだろうけど、私はいちいち気にしない。エリナよりもっと涼しい顔で言ってやる。

「そうなの。これから夏だし、これくらい明るいピンクが可愛いでしょ？　店先でちょっといいなあって見てたら、似合いそうだから、買ってあげるよって。自分じゃ無理っぽい値段だから、ラッキーって感じ？」

「へえ。よかったね」

エリナが笑う。でも動いたのは口元だけで、目が笑ってないのがわかった。なにその顔。チイとユッチは素直な声ですごーい、と言ってくれるのに。いいよ。そのうちルビーのだって買ってもらうもん。ダイヤならもっとインパクトあるかな。

「ご褒美なの。また一キロ減ったから」

「えー。ずるいー」

最近、体重を気にしているユッチが羨《うらや》ましそうに言う。

「彼氏もできて、ダイエットも順調なんて、アカリずるすぎー。あたしなんか、また太ったみたいなのにさ……」

「太ったみたいって？　ちゃんと計って、記録取らないと痩せられないよー。なんか彼、そういうとこはすごく厳しいんだよね」

きらきら光るペンダントを指先で弄《いじ》りながら言うと、エリナが「変わってるよね、アカリの彼氏」と意味深な声を出す。

「自分の彼女のダイエットにそんなに熱心なのって、珍しくない？」

「そう？　ほっそり系が好きなんだよ」

でもぉ、とチイが唇を尖《とが》らせて「アカリ、充分スリムだと思うよ？」と言った。まあ、確かにチイよりは細いよね……チイは明らかにふっくら系で、でもそこが可愛いところでもある。私やエリナみたいに痩せなきゃ、っていう強迫観念とは無縁で、食べたいものをパクパク食べて幸せそうなタイプ。

「そうだよ、ぜんぜん細いよ」

エリナはチイの言葉に同意したけれど、その目は明らかに（あたしほどじゃないけどね）って言ってる。はいはい、わかってる。エリナはまるでモデル並みの細さだもん。顔は十人並みだけど、スタイルの良さでずいぶん得してるよね。

「あたしなんか、もう少し肉つけたほうがいいよとか、シュンに言われちゃって」

なにげなさを装い、エリナが言う。途端にチイとユッチが固まった。そりゃあそうよね、つい先月までシュンが私の彼氏だったこと、ふたりともよく知ってるんだから。

「ふうん。そうなんだ」

笑顔、大丈夫かな。ひきつってないかな。

べつに、シュンに未練があるわけじゃない。エリナみたいな女が好きって言うなら、勝手にすればいいし。別れてみてわかったんだけど、そんなにいい男じゃなかった。見た目だってフツーだし、大学はたいしたことないし、いまいち気もきかない。今の彼みたいな大人の落ち着きもないし、なにより余裕が違うんだよね。五万円もするアクセをなにかのついでみたいに買うなんて、二十歳やそこらの男じゃなかなかできないでしょ。お金持ってるっていうのもあるけど、精神的な余裕が違うんだよ。こっちに気を遣わせないさりげなさとか、そういうとこ。だから、シュンはどうでもいいの。ああ、部屋のスペアキーだけは早く返してもらわなくちゃ。なんかメールするのもむかついて、後回しにしちゃってる。

とにかく、シュンはもういい。私が許せないのはエリナのほう。

シュンなんか自分の趣味じゃないみたいに言ってたくせに——「ごめんね、こんなことになって」の一言でぜんぶすませた、エリナの図々《ずうずう》しさにむかついてるの。それに、エリナが陰で私のことなんて言ってるかだって、ほんとは知ってるんだ。私がいなくなった途端、いつも悪口が始まることもわかってる。「ああいうダイエットは絶対リバウンドするよ」とか「アカリって眉の描き方へんだよね」とか、もっとひどいこと……たとえば、シュンとつき合ってたときの、ベッドでのこととか、そういう最低なことまでネタにしてるらしい。

下品な女。

よく、私とニコニコ話せるよ。

「エリナはさあ、本当に細いもんねー。私も彼のためにエリナくらいを目指してるんだ。そしたら、素敵なドレスでディナーに連れて行ってくれるって」

チイとユッチが、私の反応にちょっと安堵《あんど》したように「えー、いいなー」と声を揃えた。エリナはフフンって顔してる。

「彼、ええと、斎藤さん？ なにしてる人だっけ」

チイに聞かれて、私は「ちょっと謎めいてるの」と笑った。

「会社員じゃないのは確か。なんかね、自宅で株とか動かしてるっぽい」

「トレーダーなんだ。儲《もう》かるのかなあ」

「うん、お金はあるっぽいよ。夏になったら、別荘に連れて行ってもらうんだ。海の近くみたい。水着になるだろうし、あと三キロ落としたいの。だから先週から一日一食はダイエットフードだけ」

「そうなんだ。きつくない……？」

ユッチに聞かれ「そうでもないよ」と嘘をついた。本当はお腹減る。だって、シェイクみたいな飲み物と、もそもそしたクッキーがたったの二枚だもの。

「そのダイエットフードも、斎藤さんが手配してくれてるの。ネットの人気商品なんだって」

「え、教えて。あたしもやってみたい」

ユッチの顔は真剣だったので、私も「彼に聞いておくね」と答えた。ユッチはチイほど太ってないし、ちょっと痩《や》せたらかなりいい線いくと思う。正直、エリナは後ろから見てるときが一番。振り返ると、なんだたいしたことないじゃんって感じ。

私があと三キロ減ったら、エリナと同じくらいになる。

そしたら、シュンも驚くだろうな。もしかしたら縒《よ》りを戻したいって言ってくるかもしれないけど、お断り。今の彼のほうが、ずっと私をわかってくれるもん。ダイエットの話なんて、普通の男はなかなか真剣に聞いてくれない。でも斎藤さんは違う。本当に私の痩せたい気持ちをわかってくれてる。目を見ればわかる。精神的にも、金銭的にも助けてくれる。ダイエットフードってわりと高くって、なかなか続けて買えなかったりするもの。本当、すごく理解あるんだ。

だから私はきっと痩せられる。

エリナより痩せて、ずっとずっと、綺麗《きれい》になれる。

二

妖琦庵。

それは先生とやらの自宅にある、お茶室の名前だそうだ。「妖琦庵へ行く」と鱗田が言った場合、その茶道家の家に行くことを意味するらしい。

脇坂は茶道についての知識がほとんどない。

抹茶のパフェや、カフェで出される甘い抹茶オーレは好きだが、本格的なお抹茶とは縁がなかった。苦い、という話は学生時代茶道部だった姉から聞いたことがある。飲む前に茶碗《ちゃわん》を廻《まわ》さなきゃいけないだとか、苦くても美味《おい》しかったと言わなきゃいけないとか、いろいろと面倒そうだなあと思ったものだ。

「なんでお茶の先生に会わなきゃいけないんです？」

脇坂が聞くと、鱗田は細い目をなおさら細くして「協力者なんだよ」と答える。

「お茶の先生が、捜査に協力？」

「どんな学者や研究者より、あっち方面に強い」

「あっち？」

半端な昼食を食べ終わったのが三時をまわっていたので、そろそろ四時になろうという頃だ。鱗田は猫背に歩きながら「おまえも好きな、あっち方面さ」と答える。

「妖怪《ようかい》と妖人に、とにかく詳しい」

「え、嬉《うれ》しいな。だったら僕と話があいますよね！」

「そいつは、どうだかなあ……」

鱗田が無精髭《ぶしょうひげ》のはえた顎《あご》をさすって言葉を濁す。この先輩刑事はいつも同じようなネクタイをしている。二週間観察してみた結果、鱗田が持っているネクタイは三本と判明した。赤茶、臙脂《えんじ》、えび茶の三色だ。それをローテーションで使い回している。慶弔用の二本は必ず持っているはずだから、鱗田のネクタイ所持数は合計五本。これが脇坂の推理だ。まだ確認したことはないが、結構自信がある。ワイシャツはアイロン要らずの形状記憶布地だ。独特の皺《しわ》の入り方をするのでわかる。スラックスの膝《ひざ》はいつも抜けぎみで、見た目などに気を遣わないあたり、昔の刑事っぽくてかっこいい。ただし、真似するのはちょっと厳しい。脇坂は季節にあったお洒落《しゃれ》なネクタイをしたいし、ワイシャツもきちんとアイロンがかかっているほうが好きだ。これからの季節は制汗剤を欠かさないし、鞄《かばん》の中にはポーチがあり、あぶらとり紙とリップクリームも常備してある。以前、鱗田がそのポーチを見て驚いていたが、いまどき当然の身だしなみだと脇坂は思う。

「先生に、嫌われないようにしてくれよ」

くたびれたジャケットを右手に提げた鱗田が言う。

「大丈夫です！　自分で言うのもなんですが、僕ってあんまり人に嫌われないんですよ。とくに、年上の女性受けがいいんです！」

「先生は男だよ」

「あ。そうなんだ」

茶道というと嫁入り修業のイメージがあるので、勝手に女性だと思っていた。よくよく考えてみれば、嫁に行く気などさらさらない脇坂の姉だって習っていたのだから、関係あるまい。

「その先生って、何歳くらいの方です？」

「三十三だか、四だか……とにかく扱いにくい人だから、気をつけてくれ。臍《へそ》を曲げられると今後の仕事がやりにくくなる」

「了解です。僕は愛想のよさがウリですから。たとえ相手が偏屈な頑固者でニコリともしなくても、ちゃんと……」

いや、と鱗田はネクタイの結び目を軽く引っ張って襟に隙間を作る。

「ニコリとはするんだよ。その笑顔が怖いんだ」

「はい？」

「はあ……」

「笑ってるときほどまずい」

「まあ、会えばわかる。しかし暑いなあ」

鱗田は多くは語らず、額の汗をハンカチで拭《ぬぐ》った。脇坂も、背中に汗をかいているのを自覚する。

五月だというのに、真夏のような陽気だし、すでに駅からかなり歩いていた。このあたりは古い寺町で、自動車の入れない狭い路地も多い。猫がだらりと寝る石段、鉢植えだらけの民家の玄関先、モコモコとツツジの咲く生け垣……巨大なビルの林立する霞《かすみ》が関《せき》から来た脇坂にとっては、まるでタイムスリップしたような感覚だ。

「その先生って、重要な協力者なんですか？」

「一課の連中は煙たがってるが、Y対にとっちゃ最重要人物といえるな」

その返事に脇坂は気を引き締める。最重要人物ならば、心して対応しなければならない。Y対に配属されて以来、ずっと書類整理やデータ集計などをさせられていたが、いよいよ刑事らしい仕事になってきた。

妖怪が好きだから、Y対を志望した。自分の知識を生かせると思った。

まだできて四年だというのに、すでにかなり縮小され、今後の存続も危うい部署だというのは知っている。しかし現体制では、Y対が実力を発揮できないのは無理からぬ話だ。なんとかY対を存続させ、自分が活躍し、ゆくゆくは大きな組織とすることが脇坂の夢なのだ。伯父《おじ》は無謀だと嘆き、一般的な官僚コースを選ぶよう忠告してくれたが、脇坂は聞き入れなかった。

だって、夢は大きなほうがいいと思うのだ。

伯父にそう言うと、ちょっと呆《あき》れ顔になりながらも「好きにしなさい」と許してくれた。寛容な伯父を脇坂は尊敬している。


「ほれ、着いたぞ」

「え。どこです」

立ち止まった鱗田の横で、脇坂はきょろきょろと辺りを見回す。

住宅街に、突如竹藪《たけやぶ》が現れていた。よくよく見れば、背の高い竹の向こうに古い家屋の屋根が見える。わさわさと竹が茂りすぎていて、家屋の大きさも明瞭《めいりょう》ではないし、どこに玄関があるのかすらわからない。ただ、小振りな家の多いこのあたりにしては、ずいぶんな面積を占めているのは明白だ。

「そっちの小道は茶室に繋《つな》がってる」

鱗田の指さした方向を見て、脇坂はやっと気がついた。竹藪の中、人ひとりがようやく通り抜けられそうな空間があり、飛び石がひっそりと案内を作っていた。覗《のぞ》きこむと、先に小さな竹の門が見え、中庭に続いているようだった。

「おいおい、いかん」

敷石の小径を進もうとすると、鱗田に止められた。

「妖琦庵はだめだ。特別な茶室で、めったなことでは入れん。母屋の玄関はこっち」

「あ、そうでしたか」

脇坂は慌てて鱗田を追いかける。

角を曲がっても竹藪は続き、だが少し行くとやっと建物が見えてきた。いまどき珍しい木造平屋建てだ。竹藪越しだとちょっとしたお化け屋敷といった感もあったが、こうして見れば古いながら手入れは行き届いているようである。

「脇坂。おまえ、大人になってから叱られたことあるかい」

竹藪と道路を仕切っている石塀が途切れ、やや奥まった玄関が見えたところで鱗田が聞いた。

脇坂はしばし考え、明瞭な発音で「ないです」と答えた。

「そうか。……うん、大人になってから叱られるってのも、ときには大切だぞ」

「そうですね。でも僕、子供の頃からあんまり叱られないほうでした！」

と返してから二秒後、ふと気がついて「もしかして、僕はその先生に叱られるんですか？」と聞いた。鱗田は「たぶん」と一度答えたあと、「いや。絶対」と言い直した。

「なぜです？」

「会えばわかる」

さっきもそう言われた気がする。鱗田はいままで脱いでいた上着を着てから「ごめんください」と声をかける。表札は『洗足《せんぞく》』だ。そしてこの玄関には呼び鈴というものがない。モニターで来客を確認できないなんて、このご時世にはいささか物騒だ。

「鱗田です。先生にお会いしたいんですが」

はい、という返事が聞こえた。男の声だ。

廊下が軋《きし》む音がして、ひとりの男が姿を見せる。青年……というほど若くない。二十七、八だろうか。前髪をオールバックにして秀麗な額を見せ、涼やかな雰囲気を纏《まと》っている。細面の上に吊《つ》り目なのできつい顔立ちに見えるが、口もとは感じよく微笑んでいた。なんというか、笑っている狐のお面みたいな顔だ。清潔感のある白いシャツを纏い、背が高い。一七六センチの脇坂より、さらに五センチほどありそうだ。

「こんにちは、鱗田さん」

「どうもどうも。突然申しわけないです。先生はご在宅で？」

「いますよ。ついさっき、法務省のCMを見て絶句した挙げ句、すごい形相でおはぎを続けて五個食べました。今日は覚悟しておいたほうがいいですねえ」

「いや、あのCMには私らも閉口でして」

「おはぎ五個ってすごいですね」

まったく同時に、全然別の言葉を繰り出した刑事ふたりを見て、男が笑う。どうやら彼は「先生」ではないらしい。

「そちらの方は、もしや五番目の？」

脇坂を見て男が言った。意味はわからなかったが、ぺこりと頭を下げる。

「はじめまして、脇坂洋二《ようじ》です」

「はい、はじめまして。私は夷芳彦《えびすよしひこ》と申します。恵比寿《えびす》駅のエビスではなく、恵比須《えびす》さまのエビスでもなく、エミシと書く夷。洗足家の家令をしております」

立て板に水のごとく説明されたが、脇坂はエビスの書き方がわからなかった。さらにそのあと続いた言葉もさっぱりわからない。カレーとはあのカレーか。インド料理か。いやさすがにそれは違うだろう。

戸惑う脇坂の顔色を読み取り、カレーなエビスは笑って教えてくれた。

「家令とは執事みたいなものですよ」

「執事、ですか」

「詳しくは鱗田さんからお聞きになるといい。さ、どうぞお上がりください。先生は広間にいらっしゃいます。お説教が一段落ついた頃、お茶をお持ちいたしましょう」

笑みを絶やさずにエビスが立ち去ると、脇坂と鱗田は靴を脱ぎ、上がり框《がまち》を踏む。

「五番目って、なんです？」

小声で聞くと、小声の返答があった。

「おまえは、Y対に来た五番目の新人なんだよ」

「じゃ、前の四人は？」

「やめたか、異動した。みんな続かなかった」

どうして続かなかったのか、その理由を聞く時間はなかった。脇坂は鱗田の後ろに続いて進む。低い天井に、軋む廊下——古民家、というのだろうか。洋室ばかりの家で育った脇坂にしてみれば、なにやら歴史的価値のある文化財を見に来たような気分だ。

「先生、鱗田です」

襖《ふすま》を開ける前に、鱗田が声をかける。返事はない。

失礼します、と鱗田が襖を滑らせた。鱗田の肩越しに見えた室内は八畳ほどの座敷だった。広間というほど広くないよな、というのが正直な感想だ。

のちにわかったことだが、これは茶室の『小間』に対しての『広間』だった。

格子組の天井、床の間には掛け軸と伝統的な設《しつら》えである。脇坂の家には畳の部屋がなかったので、なんとなく物珍しい。それにしても、がらんどうな部屋だ。タンスもなければ座卓も座布団すらない。茶室として使うからなのかもしれないが、少なくとも今はお茶の道具らしきものは置いていなかった。

障子は開いている。掃き出し窓の向こうはやはり和風の中庭だ。小さな庵《いおり》が見えるのは、さきほどの妖琦庵だろう。窓の近くに男がひとり立っていた。いまどき珍しい和服姿。ごく細い縞《しま》を着流した男は完全に背中を向けていて、顔が見えない。

髪は結構長く、首がすっかり隠れるほどだ。

「突然にすみません。今日はうちの新人を紹介させていただこうと思いまして」

鱗田はきちんと正座して低姿勢に切り出したが、男は無反応だった。見向きもしないなんて、感じが悪いなと脇坂は思う。それでも鱗田に肘《ひじ》でつつかれ、ひょこりと頭を下げた。

「この春から妖人《ようじん》対策本部に配属されました、脇坂洋二と申します」

そうだ、この偏屈そうな先生は妖人に詳しいと鱗田は言っていたではないか。

よし、と脇坂は頭を勢いよく上げてつけ足す。

「僕も妖人マニアなんです！　よろしくお願いします！」

男の首が僅《わず》かに動くのがわかった。同時に、隣からぺちっ、という音がする。鱗田が自分の額に右手を当てて（やっちまった）という表情をしている。もしかして、マニアという言い方がよくなかったのだろうか。しかし研究家と自分で言うのもおこがましい。脇坂は言い直しを試みる。

「えーと、マニアというか、子供のときから妖怪のマンガやアニメが好きでして、妖人DNAが発見されたときには、もう、すごく興奮しました！　妖怪って、あ、違う、妖人ってホントにいたんだ！　って。大学の卒論でも妖怪を取り扱ったんです！」

男が首を捻《ひね》る。尖《とが》り気味の顎《あご》と、すっきりした鼻筋が見えた。少しは自分の話に興味を持ってくれたのかと、脇坂はますます張り切った。

「先生も妖怪や妖人がお好きなんですよね。わかります。なにしろ僕、妖怪と友達になるのが子供の頃からの夢だったんです！　まだ妖か……妖人の友人はいないんですけど、これからは可能性大ですよね。今のところ妖人は全体人口の三〜五パーセントって言われてますけど、今後も増えるだろうし！　なにより、こうしてY対に配属されたわけですから、きっとバンバン妖人たちに会えるはずだし！」

ふー、と深い溜息《ためいき》をついたのは鱗田だ。なにもかもを諦《あきら》めたような目をして、窓の向こうの中庭を見ている。

「希望としては、大物に会いたいんです！」

自分の熱意を伝えるべく、脇坂は続ける。

「大物っていうのはサイズのことで、見た目的な迫力がある妖怪。《ぬりかべ》とか《いったんもめん》だとか！　昔の妖怪アニメで《いったんもめん》に乗って空飛ぶシーンがあって、あれに僕はずっと憧《あこが》れてて……」

パチン、と音がした。

なんの音なのかはわからないが「うるさい」と言われた気がして脇坂は言葉を止める。

「いませんよ」

男性にしてはやや高く、柔らかな声がした。

男がゆっくりと振り返る。

右手に扇子を持っていた。パチンという音はこれを閉じたものだったのだろう。

長い前髪で顔の左半分がほぼ隠れているのだが、残りの右目に強い印象があった。綺《き》麗《れい》な杏仁《きょうにん》形をしており、下瞼《したまぶた》から目《め》尻《じり》にかけて薄青い隈《くま》が縁取っている。白い肌に浮かぶ隈は病的なイメージではなく、一瞬化粧のようにも見えるほどだ。瞳《ひとみ》は漆黒――だがつや感はない。黒曜石のようにキラキラしてはおらず、硬く硬く焼き締めた炭のように、すべての光を吸収してしまいそうなマットな黒。

男が微笑んだ。まともに視線が絡み、脇坂はなにやらどきりとしてしまう。時代錯誤な雰囲気を纏った彼は間違いなく色男だった。

だが脇坂も男なので、このどきりは色恋のときめきではない。むしろ、ごく小さな恐怖感に似ている。その目に射貫《いぬ》かれると身が竦《すく》む。肩先が緊張して突っ張る。ピンで止められた標本昆虫みたいな気持ちだ。

「脇坂くん、でしたかねえ」

「はい」

「よくいらっしゃいました」

「あ。はい」

優しく笑いかけられ、緊張が解けると同時になんだか照れてしまう脇坂であった。俯《うつむ》き、ほりほりと頬など掻《か》いていると、男はつくづくと言ったふうに「本当に、よく来れたものです」と続ける。その台詞《せりふ》にチクリと小さな棘《とげ》を感じ、脇坂は顔を上げた。

「妖怪や妖人が好き？　だからY対を希望した？　友達になりたい？　《いったんもめん》で空を飛ぶ？……ははは。面白い。面白いじゃあないの、脇坂くん。いいねえ。行きなさい。ぜひ飛んで行ってほしい。もう、ブンブン行っちゃってください。地球の果てまで飛んでいって、そのまま永遠に帰ってこなくて結構ですから」

澱《よど》みない口調と微笑みと毒舌がセットになって襲いかかってきた。脇坂は正座のままポカンと阿呆面《あほづら》を晒《さら》す。

「ウロさん」

男が鱗田を呼んだ。

鱗田は叱られている小学生のように身を縮めて「ハァ」と返事をする。どう見ても鱗田より目下なのに、態度が大きい。

「あなたもねえ、よくもまあ、ここまでひどいのを見つけてきたもんです。探したって、なかなかいるもんじゃないでしょう、このレベルの馬鹿は」

……馬鹿？

馬鹿と言ったのだろうか、この男は。脇坂は怒るより先に驚いた。二十六年の人生で、初対面の人間に、ここまで露骨に馬鹿呼ばわりされたことはない。

「いっそ感心しますよ。あたしらが必死に稼いでる血税が、こんな馬鹿の給料になっているわけですか。いいですねえ、Y対ってのは。暇だね。楽な仕事だァね。あのひどいCMに文句をつけることもしないわけでしょう？　日がな一日、いったいなにしてんですか、あなたたちは？　爪楊枝《つまようじ》で名古屋城でも作ってるわけ？」

江戸時代の若旦那《わかだんな》みたいな喋《しゃべ》り方をする。

口調はさほどきつくないのだが、早口で言い返す隙間などない。鱗田はひたすらに聞き入り、言葉が途切れてやっと「面目ない」と力なく詫《わ》びた。

これはちょっとひどくないか。

比較的穏やかな性格と自負している脇坂も、さすがに黙っていられなくなった。

「あの、すみませんが」

だが、喋りかけたところで「すみませんよ、本当に」と割り込まれてしまう。

「あんなひどいCMを作っておいて、ただですむわけがない。心ある妖人たちはみな嘆いていることでしょうよ。あのCMの制作責任者に番傘被《かぶ》せて《からかさ小僧》にして、銀座の歩行者天国を一本足でぴょんぴょん歩かせたらどうだい。ちっとは反省して、次からもう少し真面目に作るんじゃないですかね？」

耳に心地よい声で毒を吐き、男はまた扇子を鳴らした。

ひどいのはそっちのほうだ、脇坂はそう言ってしまいたいのを堪《こら》えて立ちあがり、

「確かに僕はまだまだ経験不足ですがっ」と切り出す。

「でも、面と向かって馬鹿と呼ばれるほどではないと思っています。仕事だって精一杯しています。税金泥棒みたいに言うのはやめてください。啓蒙《けいもう》CMの件にしても、仰るほど酷《ひど》いとは思えません」

一気に言い切った脇坂を見て、男は「ふうん」と鼻先に扇子の頭を当てた。

「脇坂くん」

「はい」

「ひとついいことを教えてあげましょう。きみの夢をぶち壊して申しわけないが、《いったんもめん》なんて妖人はいません。実在しないんですよ。つるんつるんの脳みそに、よく叩《たた》き込んでおきなさいね」

カチンと来た。つるんつるんってなんだ。

人の脳みそをところてんのように言わないでほしい。脇坂はズイと一歩男に近寄って

「でも、これから見つかるかもしれないじゃないですか」と珍しく息巻く。

「へえ。なぜそう思うんです？」

「妖人《ようじん》の存在が確認されてまだ七年です。妖人台帳だって完全じゃない。これからどんどん新しい妖人が現れるに決まってます」

「ま、そらそうでしょう」

男は否定せずに頷《うなず》いた。脇坂は「だから」と続ける。

「《いったんもめん》という妖怪がいる可能性だって、否定できないはずです」

胸を張って言った脇坂へ、今度は男が一歩近づいた。これで、ふたりの距離は一メートルほどとなる。男の顔からは、余裕綽々《よゆうしゃくしゃく》の笑みが一向に消えない。

「脇坂くん。確認させてもらっていいですかね」

「どうぞ」

「きみは【妖怪】の話をしているの？　それとも【妖人】の話？」

顔を覗《のぞ》きこまれるように言われて、脇坂は「え」と戸惑った。男の目尻に、意地悪そうな浅い皺《しわ》が入っている。

「それは……ええと、僕が会いたい【妖人】の話をしたんですから、【妖人】ですよ」

「でもきみ、たったいま言ってましたよね。『《いったんもめん》という妖怪がいる可能性だって、否定できない』って」

「……言いました？」

くるりと振り返り、鱗田に確認する。正座している鱗田は軽く頷きながら「言ったよ」と答える。脇坂は少しばかり唇を尖らせてまた男に向き直る。

「単なる言い間違いです。訂正します」

「あら、訂正するんだ。訂正しなけりゃ正しかったのに」

「はい？」

「《いったんもめん》という【妖怪】がいる可能性なら否定しませんよ、あたしだって」

涼しい顔で言い、男は身体の向きを変える。床の間の前に移動し、着物の膝下を軽く押さえるようにして畳の上に正座した。ちょっと見とれてしまうほどの美しい座り姿だ。しかし見とれている場合ではない。

脇坂は自分も正座し、「ええと、待ってください」と膝でいくらか躙《にじ》り寄る。

「でも先生、《いったんもめん》は実在しないって、さきほど仰ったでしょう？」

「そんなこた言ってません」

「言いましたよ！」

引かない脇坂を軽く見上げ、男は「だから馬鹿だって言われるのさ」と溜息《ためいき》をつく。

「さっきから馬鹿馬鹿って失礼だなあ」

憮然《ぶぜん》として言い放つと、男はますます冷ややかな視線を脇坂に向けた。

「脇坂くん。きみに馬鹿の顕著な特徴を教えてあげましょう。馬鹿ってのは自分を疑わないんです。だから自分が馬鹿だと気がつかない。ずーっと気がつかない。今日も馬鹿、明日も馬鹿、あさっても馬鹿。フォーエバー馬鹿。自覚がないので、他人から指摘されると怒ります。いまのきみのように」

「な……」

「いいですか。よく聞きなさい」

男は扇子の先をツッと脇坂に向けて続けた。

「人は言葉を駆使して会話をします。あたしだって、そのすべてを覚えていろとは言わない。けどね、決して落としちゃならない重要句ってものがあるんです。論理的な答を導き出すために、聞き逃したり、聞き違えたりしてはならないキーワードがある。こっちはなにも英語で喋ってるわけじゃないんですよ？　母国語での会話なのに、肝心要になる言葉を聞き違えるなんて、どうしようもない。注意力も理解力も集中力も不足しています。そういう人を一般的に馬鹿と言う。まあ、単なる注意力、理解力、集中力の不足ならまだましです。これは努力によって補える場合が多い。それより厄介なのはいわゆる偏見というやつです。偏ったものの見方ね。言っておきますが、人は誰しも、偏ったものの見方をします。誰にとっても偏りのない見解などというものは存在しないのだからそれは仕方ない。程度問題ってことです」

立て板に水どころか、滝に立て板を落としたかのような勢いである。脇坂はなにか言い返したいと思いながらも、口を挟む隙がない。

そこへ「失礼します」と襖《ふすま》の向こうから声がした。

入ってきたのはエビスだ。お茶とおはぎを載せた盆を手に、愛想のいい笑みを浮かべている。

「さっそくやられてますね、脇坂さん」

「あ……いえ……」

「うちの先生の理屈っぽさは天下一ですからね。まあ、ご堪能《たんのう》ください」

「余計なことは言わなくていいから、お茶をおくれ」

はいはい、とエビスは一番先に男の前に茶を置いた。続いて鱗田、脇坂の前にはおはぎと共に茶が供される。少し不恰好《ぶかっこう》なおはぎは手作りだろうか。冷たいグリーンティーがいいなと思ったが、間違っても言える雰囲気ではない。

「先生、マメが晩ご飯のことを気にしてましたよ。肉と魚、どっちがいいだろうって」

「焦げてなきゃどっちでもいいですよ」

「デザートはおはぎだそうです」

男はかすかに困惑の色を浮かべ「まだおはぎ残ってるのかい……」と呟《つぶや》いた。

「なにか他のものを買いに行かせますか？」

「いい。おはぎでいいです。……ほら、あんたたちさっさと食べなさい」

男に急《せ》かされて、脇坂は慌てておはぎを口に詰め込む。アンコ系の菓子はあまり食べないのだが、なかなか美味《おい》しい。小豆《あずき》の甘みがほどよく、もっちりとした餅米《もちごめ》の感触も楽しかった。

甘ったるくなった口の中を、渋い緑茶が爽《さわ》やかな苦みで癒《いや》してくれる。

エビスが部屋から出て行くと、理屈っぽい先生は「話を戻しましょう」と言った。

「脇坂くん、きみはさっき、あたしをこう問い詰めた。『《いったんもめん》は実在しないって、さきほど仰ったでしょう?』と。でもこれは間違いだ。重要な単語がひとつ落ちてるんです。あたしが本当はどう言ったか、ウロさんなら覚えているでしょうね」

男が鱗田を見る。

鱗田はズーと音を立てて茶を飲みきったあと、ゆっくりと口にした。

「『きみの夢をぶち壊して申しわけないが、《いったんもめん》なんて妖人はいません』

……先生は、そう言ったんですな」

「だから、僕も——あ……」

——《いったんもめん》なんて妖人はいません。

脇坂はやっと思い出した。さらにそのあと、脇坂は「《いったんもめん》という妖怪がいる可能性だって、否定できない」と言い、理屈屋の男はそれには同意したのだ。

つまり、
《いったんもめん》という【妖人】→いない。

《いったんもめん》という【妖怪】→いる可能性は否定できない。

こういうことになる。

妖人と妖怪。このふたつの言葉を、男は明確に使い分けていたのだ。

男は湯呑《ゆの》み茶碗《ぢゃわん》を両手で品よく持ち「少しは、わかってきましたかね」と、冷ややかに笑い脇坂を見る。

「脇坂くん。なぜきみが、この話題の要《かなめ》である【妖怪】や【妖人】という単語を無頓着《むとんちゃく》に扱うのか、そもそもあたしにはそれが不可解でならないんですよ。単にきみが粗忽者《そこつ》だからなのか、あるいはきみの脳が無意識のうちに、自分の理屈を正当化するためには、【妖怪】や【妖人】をごっちゃにしてしまったほうが都合がいいと判断したのか？」

「あのう、先生」

鱗田が遠慮がちに右手を小さくあげる。

「どうぞ、ウロさん」

「この脇坂はですね、なんというか……単純な馬鹿なんですよ。世間知らずのうっかりもので、つるつると口が滑りますが、小狡《こずる》いとこはないんです。自分の理屈を正当化するために、無意識に脳を働かせるようなタイプとは違うように思います」

なんだかものすごく貶《けな》されたような、でも同時に庇《かば》われているような、複雑な気分の脇坂である。情けない顔で鱗田を見ると、鱗田のほうも同じような表情で見返してきた。

「ということは、この人は単に【妖怪】や【妖人】の厳密な使い分けもできていない馬鹿ということですか」

「はあ。残念ながら」

「一般の民間人ならばともかく、刑事で、しかもY対の人間が？」

「まったくもって、返す言葉もない次第でして……」

鱗田が俯《うつむ》くと、薄くなってきている頭頂部が目立つ。

男は呆《あき》れ顔を隠しもせず、右目だけでしげしげと脇坂を見つめていた。そんなことはない、ちゃんとわかっている——そう言い返したいのを、脇坂は我慢していた。自分でも、だんだん自信がなくなってきていたのだ。

妖怪《ようかい》と、妖人。ふたつの言葉の厳密な使い分け？

だって、妖怪というのは昔から伝承されてきたいわゆる妖怪であって、《いったんもめん》だとか《河童《かっぱ》》だとか《こなきじじい》や《猫娘》や《目玉のおやじ》……あ、あれはアニメだけか。一方の、妖人というのは妖怪のような特性を持つ人で——。

「おやおや。混乱してますね」

頭を抱えんばかりの脇坂を見て、男が笑う。

「こ、混乱してきました。先生、すみませんがもう少しわかりやすくお願いします」

脇坂が請うと、男は畳の上に置いていた扇子を手に取り「これ以上わかりやすくしろって？」と呆れ顔を見せる。

「五番目の新人は、ずいぶん図々《ずうずう》しいねえ。そもそもね、きみの妖人のイメージはかなりファンタジーな方向に偏っている。それを修正する必要があります。まず妖怪と妖人をきっちり分けて考えなきゃならない。そのためには、両者を定義づける必要がある」

「定義づけ、ですか」

そう、と男は扇子の先を脇坂に向ける。

「だがね、妖怪の厳密な定義なんてのは難しいんですよ。架空のものとされているけど、実際に見たという報告もある。でも学術的に実態を確認できてはいない。だから『〜と言われている』『〜と伝わっている』みたいな曖昧《あいまい》さになってしまう。曖昧なものの定義づけは『曖昧なものである』にしかならないわけです。ここまで、いいですか？」

「は、はい。たぶん」

脇坂は必死に脳を稼働させていた。俊足の選手たちに交じって、ひとりだけ鈍足な自分がランニングの訓練をしているような気分だ。

「一方、妖人は違います。実在するから、妖怪よりわかりやすい。妖人対策本部、なんてものもあるくらいだ。税金分の機能をしているかどうかは別として。……脇坂くん、まずは妖人をきちんと定義してみなさい」

まさしく先生といった口調で命じられ、脇坂は頷《うなず》く。この定義はごくシンプルだ。

「妖人とは、近年発見された妖人DNAを有する人間の亜種のことです」

男は扇子を自分の正面に置いて腕組みをし、視線で続きを促した。

「現在の妖人人口は、全人口の三〜五パーセント程度と予測されていますが、妖人検査は原則的に義務化されておらず、厳密な数字ではありません。現在の妖人台帳は、過去に妖人検査が当人に無断で行われていたぶんがベースとなっています。ある研究では、仮に検査を義務化した場合、五パーセントを超える可能性も高いという予測が……」

「予測はどうでもいいんです。あてになりゃしない。では、妖人DNAとは？」

「ええと……ある遺伝病を研究していた学者により、偶然発見された遺伝子で、神経ネットワークに深く関与すると言われています。この遺伝子は従来のホモサピエンス、つまり僕たちヒトにはなく、妖人に特有のもので、ときに特殊能力を顕著にします。どのような能力が現れるかは一定しておらず、驚異的な水泳能力として発露したり、やはり驚異的な視力、腕力、聴覚などを持つ妖人もいます。逆に、とりたてて特別な力を持たない妖人も多いと報告されています」

このへんの知識は、理解というより丸覚えしている脇坂である。Y対への配属を希望したところ、面接試験があると言われたので必死に暗記したのだ。

「妖人は、突然現れたわけですか？」

「いえ、現在の有力な説では、かなり昔、それこそ有史以前の段階で遺伝子が突然変異したのだろうと考えられています。つまりヒトに亜種が生まれ、数を増やしたり減らしたりしながら、絶滅せずに生き残ったということです」

「妖人はあくまでヒトの亜種であり、人間ではないと？」

「妖人を『ヒト』と同等に扱うのか、人間として認めるべきなのか……しばらく混乱していた時期がありましたが、結局、人間とは一線を画す存在であるという結論に落ち着きました。ただし、不当な差別が生まれないよう三年前に施行された『妖人保護法』によって、人間とほぼ同等の権利は守られています」

「ほぼ同等、ね」

フンと鼻で嗤《わら》い、男は「続けて」と命ずる。

「はい。たとえば、チンパンジーやゴリラも分類学上ヒト科に属しますが、人間ではありません。同じように、妖人も遺伝的には人間とは区別されるべき存在である——というのが政府の採用した考え方です。ただ、妖人は人間と交配できる亜種であり、人間社会に溶け込んでいたので、今までその存在に誰も気がついていませんでした」

「なぜ溶け込むことができたんですかね？」

「それは……外見が人間とほとんど変わらなかったからだと思います」

「んん？　なんですって？」

少し首を傾げ、うっすらと笑って男が聞いた。

瞳《ひとみ》と同じように黒い髪が斜めに流れて、隠れていたほうの顔が少し見える。目の近くの皮膚が、ひきつれているように見えたのは気のせいだろうか。

「ですから、外見が人間とほとんど変わらなかったから」

脇坂は同じ台詞《せりふ》を繰り返した。男は「なるほど」と頷いてゆっくり立ち上がり、最初に立っていた掃き出し窓の近くに移動した。中庭の景色を眺めるのが好きなのかもしれない。古びた石灯籠《いしどうろう》の近くで、紫陽花《あじさい》がつぼみをつけはじめている。

「では最初に戻りましょうかねえ。そもそもこの話の発端は、脇坂くんがあまりにも愚かな発言をしたことからですけど、覚えてますか？」

背中を向けたまま語られ、脇坂は「……えっと」と考えた。すぐには思い出せない。これでは馬鹿呼ばわりされても仕方ないと自分でも思う。ちらりと鱗田を見て助けを求めると、手の平を床に対して水平に倒し、ひらひらして見せた。なにかが飛んでいるようなジェスチャーに、脇坂はハタと気がついた。

「《いったんもめん》！」

つい叫んでしまう。

「そうだ、《いったんもめん》でした。僕が、子供の頃に見たアニメみたいに《いったんもめん》に乗って飛んでみたいと言って、でも先生がそんな妖人はいないと……」

「そう」

男が掃き出し窓を開け、濡《ぬ》れ縁へと出た。中庭から風が吹いて、脇坂の髪を揺らす。空は次第に赤みを帯び、流れる風にも夕刻の気配が滲《にじ》んでいる。男は脇坂たちに背を向けたまま佇《たたず》み、「やれやれ遠い道のりだった」と呟《つぶや》く。

「では、最後の質問をしましょう。——《いったんもめん》の外見は、人間とほとんど変わらないですか？」

脇坂は口を開けた。

あ、の形に開けたまま、だが声は出なかった。自分は本当に馬鹿なのだと、いっそ気持ち良いほどに理解できて、驚いてしまったのだ。

今までずっと、学校の成績は中くらいだった。優等生でもないが、劣等生でもない。

高校はそこその進学校だったし、大学だって有名私立を出ている。たまに友人から「おまえ、ときどき抜けてるよな」などと笑われることはあったが、「馬鹿だ」と詰《なじ》られた記憶はない。だから自分は馬鹿ではないと思っていたのだが……違った。

「……うわ、僕って馬鹿だったのか」

上擦った声で言うと、濡れ縁の男が「おや。一歩前進した」と少し振り向く。

「まあY対の人間がこのていたらくじゃ、あの阿呆《あほう》丸出しのCMも納得ですね。なに、あれ。妖人の呼び方を啓蒙《けいもう》するCMで、妖怪出してどうすんですか」

蕎麦屋《そばや》で見た啓蒙CMのことだろう。あのとき鱗田が苦い顔で「《からかさ小僧》はまずい」と言っていたのを思い出す。そのときはどうしてなのかわからなかった脇坂だが、今ははっきりと理解できる。《からかさ小僧》は妖怪であって、妖人ではないのだ。

「あ、あのっ、確認させてもらっていいですか」

「確認しなくても、きみは立派な馬鹿だから安心しなさい」

身も蓋《ふた》もないことを言われたが、もはや脇坂は気にならなかった。

「いえ、そうじゃなくて、いやそうなのかもしれないけど、妖怪と妖人についてです。ええとええと、つまり、かつて妖怪と言われていたものが、すべて妖人として実在するわけじゃないということですよね？　人間に近い見た目の妖怪だけが、妖人として実在する、と……？」

「だから、妖怪と妖人を同じレベルで語っちゃだめなんですってば」

シュッと音がした。男が崩れてもいない襟を、指先で整えたのだ。

「いいですか、妖怪《ようかい》はあくまで『伝承』で『言い伝え』で『架空のもの』なんです。つまり非現実。反して、妖人は昔からいた。こっちは現実。妖人という名前がついていなかっただけで、人間の亜種として、存在していた。非現実と現実を一緒くたに語るからおかしくなる。なんでこんな基本的なことを説明しなきゃなんないんだか……」

「非現実と現実……」

「きみ、まさか『妖怪は実在していた、それが妖人なのだ！』などと煽《あお》り立てる無知蒙《もう》昧《まい》の言葉を真に受けちゃいないでしょうね。そうじゃあない。妖人は昔からいたんです。その一部を、かつて人間は妖怪として捉《とら》えていた。そして外見が人間とかけ離れている妖怪は想像の産物であり、妖人として存在しないケースがほとんどです。ただし、何事にも例外はありますがね」

そうか——ようやく脇坂の頭の中も整理できてきた。もげるかというほどに首を傾げて考え、自分なりの言葉でまとめてみる。

「あの……つまり、《いったんもめん》だの《からかさ小僧》だのは、あくまで人間の想像力が生み出した架空のもの。反して、《河童《かっぱ》》などは実在している妖人で、ただし以前は妖人という概念がなかったので、架空の妖怪とひとくくりにされていた場合もあった、とそういう理解でいいんでしょうか……？」

「ああ、いくらか言葉が通じてきましたねえ。来世紀まで無理かと思ってたけど」

嫌み満載の及第点が出て、脇坂は少し肩の力を抜いた。

男は庭に向いていた身体を少し捩《ねじ》り、半分しか見えない顔を脇坂に向ける。そういえば、超メジャー妖怪マンガの主人公って、こんなふうに片方の目を隠していたよなあと思い出す。そのキャラクターは隻眼であり、ついでにその父親は目玉に小さな身体がついているという奇抜さなわけだが、この男の顔半分はどうなっているのだろうか。

「だからといって、《河童》伝承の正体が、すべて妖人だという話ではありませんよ。《河童》伝承には、子供を危険な川に近づけないための方便という役割もある」

「ええと、架空の《河童》と、妖人の《河童》を一緒くたにはできない、と」

「そういうこと。……現在、《河童》に分類される妖人は、今のところ比較的数が多いとされています。特色は泳ぎが得意なことと、なんといっても驚異的な肺機能を持ち、水中に長くいられることですね」

「あと、水の中でものを見る能力も高いと聞きました」

「一般の人間は水の中でものを見るとぼやけてしまう。角膜の屈折力が機能しないからです。ところが《河童》たちは水の中でもクリアにものを見られる。優れた調節力により水晶体屈折力を上昇させているのだろうと考えられてます。人間にも、ミャンマーのモーケン族という同じ能力を持った民族が実在するのが興味深いところだ」

「あの、相撲を取りたがるとか、尻子玉《しりこだま》を抜くっていうのは？」

「それは単なる言い伝えですよ」

ギッ、と濡れ縁が鳴る。男が静かに立ち上がったのだ。

「だいたい、尻子玉自体が架空のものなんですから。昔の人が溺死体《できし》を見たときに、肛《こう》門《もん》から内臓が飛び出ているのを見て……」

そのとき、にわかに強い風が吹いた。

風は座敷に入り込み、襖《ふすま》に当たって旋回する。乱れた前髪が目にチクリと刺さり、脇坂は咄嗟《とっさ》に目をつむった。痛くて、軽く目を擦《こす》る。障子のカタカタいう音が聞こえ、小さくギギッと家鳴りがした。和風建築というのは饒舌《じょうぜつ》なものだなあと脇坂は思う。

「――そういえば、まだ名乗ってませんでしたねえ」

思い出したように男が言った。張り上げているわけでもないのに、強い風に翻弄《ほんろう》されない芯《しん》の強い声だった。

前髪を押さえ、脇坂は目を開けた。

息を呑《の》む。無意識に身体を軽く引いたのかもしれない。痺《しび》れていた足が無残に崩れた。

男の長い前髪が、風に流されて額が露《あら》わになっていた。今まで見えなかった顔の左側を隠すものは、もはやなにもない。

「あたしの名は」

左目が塞《ふさ》がっている。

「洗足伊《い》織《おり》」

縫われている。

上瞼《うわまぶた》と下瞼が、糸のようなもので縫い付けられている。まともな外科医の仕事ではない。まるで野戦病院の応急処置だ。周囲の皮膚は軽く引き攣《つ》れ、瞼に静脈の青が不気味に浮いている。封じられた邪眼――脇坂には、そんなふうに見えた。背中に汗が浮く。正直、ちょっと恐ろしかった。縫われた目以外がつるりと女のように綺麗《きれい》な皮膚だけに、異様さが際だち、見る者の背筋を震わせるのだ。

そんな自分の外観が露呈していることなど、男は意に介さない様子である。

「脇坂くん。きみねえ、どう考えてもY対に向いていないから早くやめなさい。そもそも刑事っていうタイプじゃない。どうせコネかなんかで入ったんでしょうが、ならもっと楽で出世できる部署に行くのが得策ってもんです」

「い、いえ。僕は妖人対策を……」

上擦る声で、脇坂は主張しようとした。

「残念だけど、Y対ではあたしに気に入られないと仕事になりませんよ」

ふいに風がやむ。洗足の前髪が落ちて異様な左目を隠す。脇坂がさらに「でも」と声を出すと、人差し指を鼻先に当てて「し」と制される。

「ウロさんの足を引っ張るだけだから、やめなさい。迷惑だし、本当に無駄だから。あたしはね、脇坂くん。馬鹿が大嫌いなんです。昔から、馬鹿と蝦蛄《しゃこ》には虫酸が走るんですよ」

にっこりと笑い、洗足は言う。問答無用の怖い笑顔だった。

そしてそのまま沓脱石《くつぬぎいし》に降りると、刑事ふたりを部屋に残して中庭へと出てしまう。

なにか言わなければいけないと思った脇坂だが、うまい言葉が思いつかなかった。洗足の言うとおりだ。妖怪が好きという、それだけの気持ちでY対配属を希望したはいいが、妖人についての知識はそこらの一般人に毛が生えた程度、下手に妖怪マニアの知識が混じっていてたちが悪い。

「ま、また来ます、僕！」

脇坂は声を上げた。

「勉強し直して、また来ますっ！　だから先生っ、僕に、もっと妖人について教えてください！　僕、この仕事、本当にやりたいんです！」

洗足から返事はない。中庭を通過して、家屋の裏側へと姿を消してしまう。

「ウロさん……」

脇坂は実に情けない顔を鱗田に向け、最後に残った疑問を口にする。

「シャコって、どんなサカナでしたっけ？」

先輩刑事は絶句したまま、絶望的な顔で脇坂を見つめたのだった。

※
——《油取り》って知ってますか？

男はにこやかに聞いた。

私が知らないと答えると、レアな妖怪ですからねえ、とまた笑う。

——子供を攫《さら》ってね、そのアブラを絞るんですよ。怖いでしょう？　女の子のほうが綺麗なアブラが絞れるらしい。

そうなんですか、と私は答えた。ほかに言葉が浮かばない。不躾《ぶしつけ》に男を見てしまっていたようにも思うが、男は平気な様子だった。慣れているのだろう。こんな容姿に生まれてしまったら、見られることに慣れるに決まっている。私は不思議でならなかった。なぜこの男は、こんな雑居ビルの一室でダイエットフードの販売などしているのか。彼ならばモデルにだって俳優にだってなれるだろう。アイドルタレントをするには歳がいきすぎているが……二十代の後半くらいに見える。

なんにしろ、美貌《びぼう》だ。しかも体格に恵まれている。身長はおそらく一九〇に近い。その骨格、少し癖のある髪や、大きな目からして、外国の血が混じっているのかもしれない。つくづくと見つめる私と目があい、男はにっこり笑う。女なら百人だって騙《だま》せそうな笑顔だった。

事務所にはこの男しかいなかった。リピーターの方だけに、特別価格でご提供。ただし店頭販売のみです……そんなメールが届いたので、足を向けてみた。価格はどうでもいいが、より効果的に痩《や》せるためのいい方法を聞けないだろうかと思ったからだ。ダイエットフードを販売しているくらいなのだから、その手の話題には詳しいだろう。

——珍しいんですよ、男性のお客さまは。

——あ……私の交際相手が。

——ああ、そうでしたか。どうです、ウチの商品は効果あるでしょう?

——はい。さっそく彼女、痩せはじめて。

だが、まだまだだ。あと七キロは減らさないと、私の理想には届かない。服の中で、身体が泳ぐほどに細いのがいい。普通のベルトを買うと、内側の穴を増やさなければならないような、そんな身体がいい。

ウエストが私の両手に収まるような。

バレリーナのような。妖精《ようせい》のような。

母のような。

——ダイエットは、つまるところ努力と忍耐です。

男は私の注文した品物を袋に詰めながら言った。友人のぶんも買ってきて欲しいと頼まれたので、かなりの量がある。

——ダイエットフードの出来がよくても、本人の努力なくして痩せようはずがない。

本来、生物にとって空腹とは危機なんです。命の危機。だからそれを解消しようと、脳が食えという指令を送る。それが食欲です。

――食欲……。

――ええ。人間は欲の塊ですからねえ。

ふふ、と男が楽しそうに語る。

――食欲、性欲、睡眠欲は人間として当たり前。加えて男は征服欲を持つし、女たちは美しくなりたいという欲望を持つわけです。昔は恐れられた《油取り》も今ではむしろアブラを絞ってくれと頼まれるかもしれませんね。あはは。

男が大きな紙袋にたっぷり入った商品を渡してくれる。試供品をおまけしておきましたよ、と言い添える。私はありがとうと礼を言って、一万円札を五枚渡した。

――ダイエット成功の秘訣《ひけつ》はありますか。

尋ねると、男は難しいですねえ、と小首を傾げる。

――継続は力なり。そして継続させるのは意志の力ですから。自分の意志ですらままならないのに、他人の意志をどうこうするというのはなお困難です。まあ、手っ取り早いのは……。

領収書と釣りを用意しながら、男は続ける。

――監禁して、ウチのダイエットフードだけ食べさせることかな。

男は笑い、私もつられたように笑った。

※

なんで？

どうして？

私は手を伸ばした。助けてもらいたくて伸ばした。

きらりとなにかが光って指先に触れた。花。小さな赤い花と鎖。似てる。私のとすごく似てて、でも違う。

なにこれ。どうしたの。買ったの？　買ってもらったの？　誰に？

空が見える。

曇ってる。

手は届かない。なにも摑《つか》めない。小さな花以外はなにも。


ねえ、どうして？


わからない。

私はあなたに、なにかしただろうか——？

三

「わかんないんです。フシギなんです」

踏み台の上に立ち、それでも芳彦《よしひこ》よりだいぶ小さいマメが言う。

「どうして女の人というのは、ちっとも太っていないのに、痩せたいって言うのでしょうね？　ほら、さっき僕、牛乳買いにコンビニに行ったでしょう？　そしたら雑誌の置いてあるところで、女の子がふたり、話していたんですよ」

くりくりの大きな瞳《ひとみ》で、マメは詳しく語りだした。

近隣の高校の制服を着たふたり組だったと言う。彼女たちはダイエット特集の雑誌を見ながら、しきりに「痩せたい」と繰り返していたと言う。「超痩せたい」「ガリガリって言われたい」「あたしも。あ、でもムネはこのままで」「二の腕のプルプル、サイテー」「夏来たら、海だし？」「ウン、海だよ？　けどあと二キロ減らないとムリ」……などと喋《しゃべ》っているふたりは、とりわけ太ってはいなかったらしい。

「少なくとも僕にはふつうの体型に見えましたよ。なのにその子たち、痩せていないと人間失格くらいの勢いで、痩せたい痩せたいって喋り続けるんです」

「一種の強迫観念かもしれないね」

鍋《なべ》にバターを落としながら芳彦が答える。

マメは小麦粉の入ったボウルを持ち「きょうはくかんねん」と口の中で呟《つぶや》いた。

「そう。痩せていることこそが美しい、痩せていないと価値が低い、という強迫観念。それがいつも、彼女たちの頭にちらついているんじゃないのかな。……ほら、小麦粉」

「あ」

マメからボウルを受け取り、芳彦は適量の小麦粉を鍋の中に入れた。すぐに鍋をガス台から浮かし、手早くゴムべらを動かして、溶けたバターと混ぜ合わせる。

「ここ、絶対に焦がしちゃだめだよ」

「はい。わ、なんかクリームみたいになってきた」

「そしたら、牛乳をちょっとずつ」

鍋をガス台に戻し、芳彦はさきほどマメが買ってきた牛乳を落としていく。白い線を描くように、少し入れては混ぜる作業を繰り返すと、鍋の中に白いソースが増えていく。

マメは頬を緩ませて、鼻をヒクヒクと動かしていた。古びた台所に、なんともクリーミーな、いい香りが広がっている。今夜のメニューはマカロニグラタンなのだ。

弟子丸《でしまる》マメは洗足家で、家事手伝いをしている。家令である芳彦からすれば、部下という位置づけなのだが、どちらかといえば弟のような存在だ。

マメは決して器用な子ではない。いや。正直、不器用だ。

なにをやらせても手際が悪く、慌てん坊のうっかり屋で、おっちょこちょいである。マメが来てから洗足家の茶碗《ちゃわん》や皿はかなり減った。クラッシャー・マメが割ってしまうからであり、芳彦は何枚かの古伊万里《いまり》を納戸にしまい込んだほどだ。だが素直な性格と、いつでも一生懸命な姿を見ていると、多少の失敗は許せてしまう。今日も今日とて、ホワイトソースを見事に焦がしてしまい、芳彦の指導のもとで、いちから作り直す羽目になったわけだ。

「なんでも、人間は太りやすくできているらしい」

芳彦が言うと、「そうなんですか？」とマメが見上げてくる。マメの身長は約一三〇センチ。見た目は小学校高学年くらいの男児程度だ。外見的にはこれ以上成長しないが、実年齢は二十歳である。ネオテニー型妖人であり、同じタイプに《座敷童《ざしきわらし》》がいる。

「このあいだテレビでどこかの大学教授が話していたんだ。サルだった人間が、豊かな森から平原へ出てヒトの歴史を歩み出して以来、ほとんどが餓え続きで、食べ物の心配をしなくてすむようになったのは、ごくごく最近のことだそうだ。それまではずーっと腹を減らしっぱなし」

「うわ、いやだなあ。昔に生まれなくてよかったです」

マメが苦いものでも食べたような顔で言う。

「そうだな。事実、餓え死にする者も多かったんだろう。だから人間の身体は、餓えに備えるように進化した」

「餓えに備えるって……食べ物を貯めておくとか？」

「そうそう。貯めておくんだよ、脂肪として」

むに、とマメの柔らかい頰を摘《つま》んで芳彦は笑った。マメが顔をぐにゃりと歪《ゆが》めたまま「やめへくらはいィ」と情けない声を出す。ちょっと可哀相なところが可愛くて、芳彦はますます笑った。マメは小さな手をじたばたさせて、なんとか逃げようとしている。あまり暴れると踏み台から落ちるので、思うように動けないらしい。

「こら。なにしてんですか」

伊織の声がした。木綿の長着をさらりと着こなし、兵児帯《へこおび》を挟み巻きにして立っている。マメをからかっている芳彦を見て、眉間《みけん》に皺《しわ》を寄せ近づいてくる。

マメは未《いま》だ頰を摘まれたまま「せんせえ、たふけて」と請うた。

「芳彦。ずるいよ、なにひとりで遊んでるんです」

「マメのほっぺたはすごく気持ちいいんですよ先生。餅《もち》のようによく伸びる」

笑いながら言うと、伊織は芳彦とともにマメを挟む位置に立ち「どれ」と言いながら逆の頰を摘んだ。マメが「うにゃあ」と苛《いじ》められる猫のような声を立てた。

「本当だ。むにむにだ」

左右から頰を引っ張られ、マメの顔は真っ赤に染まる。もちろん、ふたりとも力の加減はしているのでそれほど痛いわけではないはずだ。どちらかというと、からかわれて恥ずかしいのだろう。

見た目は子供でも、二十歳なわけだし――いや、それにしても芳彦から見ればずいぶん年下となる。マメと同じように、芳彦も外見と実年齢が乖離《かいり》しているのだ。

「もおっ！　やめれくらはいッ」

マメが声を荒らげ、芳彦と伊織は同時に手を離した。

「おお、マメが怒った」

「おまえのせいですよ、芳彦」

「なに言ってんです。先生が私の真似をするから」

「おまえがしていいことを、なぜあたしがしちゃならないんですか。納得がいかない。論理的な説明がほしいね」

マメは踏み台からピョンと降り、両手で頰をさすりながら「いいかげんにしてください、ふたりとも」と家令と主《あるじ》を見上げる。伊織は少しばつが悪そうな顔をして、鼻の頭を掻《か》いた。

「どうしていつも僕で遊ぶんですかっ」

「それはマメが可愛いからだよ。ねえ先生」

「うむ。マメは癒《いや》し系妖人《ようじん》だからな」

「可愛いとか言うのもやめてくださいっ」

マメはいっそう声を張り上げる。

「僕、なりはこんなだけどもう成人してるんです！　見た目で判断しないでください！

ひどいです、僕はもう大人です！　なのに、こ、こないだだって、夜中にひとりでコンビニに行った帰り道、補導されかかるし……！」

まずい。マメの地雷を踏んでしまったようだ。

大きな目はたちまち充血し、じわじわと水分量を増やしていく。

実年齢は二十歳のマメだが、感受性に関しては見た目と同じく子供のように純粋なのだ。芳彦も焦ったが、横にいる伊織はもっと慌てているようだ。ふえふえと言いだしたマメの肩を抱き「悪かった、悪かった」と懸命に詫《わ》びる。芳彦の知る限り、この理屈屋で気難しい主に「悪かった」と言わせてしまうのは、マメくらいなものである。

「ほら、泣くんじゃありませんよ。ああ、洟《はな》まで垂らして。……芳彦、アレだ。早くアレを」

そう、こんなときにはアレである。芳彦は「はい」と返事をし、電光石火の動きで台所の隅に置かれた平たい笊《ざる》を取った。次に食品棚を開けて大きな缶を出し、笊の中にザラザラと缶の中身を入れる。つやつやした濃紫の粒は小豆《あずき》だ。

その間に主はぐすぐすと泣いているマメをシンク前に移動させていた。踏み台に乗せ、水道の蛇口を捻《ひね》る。清らかな水が流れ出す。

芳彦はその下に笊を置く。

水流が小豆の粒に当たり、一瞬きらめいて跳ね返った。

「うう……ぐすっ……くすん……スン……」

しゃき。

しゃきしゃきしゃき。

マメは小さな手で小豆をとぎ始めた。最初はゆっくりだったが、次第に速く、リズミカルになっていく。

しゃきしゃきしゃきしゃき。

しゃきしゃきしゃきしゃき。

「……うふ」

まだ頬は濡《ぬ》れているが、口元がにやけてきた。

その表情を見て、芳彦も伊織も安堵《あんど》の息をつく。これで大丈夫だろう。

手のひらに、指の間に、手の甲に小豆が踊る。

するとマメの心も躍り出すのだ。伊織いわく、マメが小豆をとぐと脳内に快楽物質がぶわっと発生するそうだ。それが《小豆とぎ》もしくは《小豆あらい》と呼ばれている妖人の特徴である。ちなみにどうしても小豆がない場合は、他の豆類でも代用できるが、やはり小豆がもっともドーパミンを出すらしい。

「うふうふうふ……」

ちょっと不気味なほどにやにやしているが、ただひたすらに小豆をとぐのが好きなだけの、おとなしい妖人だ。

「……どうやら落ち着いたようだね」

ご機嫌に小豆をとぎ続けるマメを見て、伊織が小声で言った。

「そうですね。やはりふたりいっぺんにからかうのはよくないようです。今度からは順番にしましょう」

「それがいい。片方がからかって、片方はフォローするのが理想だ。ただし必ず順番に、ですよ。でないと、からかってばかりのほうがマメに嫌われちまう」

伊織は真面目な顔で主張した。

数年前、行き場をなくしていたマメを連れてきたのはこの主である。以来、子供ではないが小さなマメを、芳彦とともに可愛がっているのだ。

洗足伊織は、一応茶道家である。

一応とつくのは、現在茶道教室も開いていなければ、弟子もほとんどいないからだ。そもそも洗足流は超マイナー流派な上に一子相伝なので、伊織が辞めてしまえばこの世から消滅してしまう。伊織には妻も子もないし、本人も「ま、万物はいずれ消えゆく定めです」という程度の認識だ。これではまともな弟子がつくはずもない。

幸い、先代はこの古い家と、幾ばくかの財を残してくれた。家令たる芳彦がうまく切り盛りすれば、さほど逼迫《ひっぱく》した事態にならない。

「先生、夕食は遅めになりそうですよ。小腹が空いたなら、おはぎでも食べますか」

「またおはぎかい……」

ぼそりと伊織が呟《つぶや》くと、機嫌良く小豆をといでいたマメの背中がピクリと反応する。

伊織は慌てて「うん、おはぎにしましょう。おはぎはいつ食べてもうまい」と言い直し、そそくさと居間として使っている座敷へと移動した。小豆といえばアンコ系の菓子をおろそかにすると、マメの逆鱗《げきりん》に触れる。

芳彦はお茶の支度をし、おはぎとともに盆に載せて茶の間へ入る。台所の向かいにある八畳の座敷が洗足家の憩いの場だ。ここは家族だけの……家族といっても誰も血は繋《つな》がっていないのだが、とにかく身内だけの空間だ。畳は少し黄ばみ、丸いちゃぶ台があり、茶簞笥《ちゃだんす》があり、この家で唯一、テレビのある部屋でもある。鱗田あたりがこの茶の間を見たら「昭和ですなあ」と呟くことだろう。もともとこの界隈《かいわい》は下町色の強い地域だが、この家はそれに輪をかけて古色蒼然《そうぜん》としている。時代錯誤と言ってもいい。

「はい先生、どうぞ」

おはぎと番茶を出すと、座布団の上で胡座《あぐら》をかいた伊織がぬっと手を出した。

茶室ではいつも凜《りん》としている主だが、この座敷では普通にだらけた姿も見せる。マメは一度小豆とぎを始めると長いので、気の済むまで放っておくのが常だ。伊織はもぐもぐとおはぎを食べながら「さっき、なにを話してたんです？」と聞く。

「マメとですか？　ダイエットについてですよ」

「おまえたちにダイエットは必要ないでしょうよ」

「いえいえ、そうじゃなくて。なんで人間の女の子はいつも痩《や》せたがっているのかと、マメに聞かれたんです」

伊織は指についた餡《あん》を舐《な》めながら「さあねえ」と答える。

「一度餓えを経験したら、そんなこと言わなくなるんじゃないですか。ま、一種の洗脳みたいなものでしょう。雑誌では定期的にダイエット特集をするし、テレビの通販番組でもダイエット関連商品はしょっちゅう売ってる」

「不景気知らずらしいですしねえ、ダイエット業界は」

芳彦はテレビのリモコンを手に取る。ちょうど夕方のニュースをやっている頃だ。以前の洗足家にはテレビがなかったのだが、マメのリクエストで三年前に購入した。

電源ボタンを入れるなり、いきなりショッキングな赤で、おどろおどろしい字体のテロップが目に飛び込んでくる。

『女子大生殺人事件！　監禁されていたのか？　犯人はまたしても妖人!?』

しまった、と芳彦はテレビをつけたことを後悔する。伊織の眉《まゆ》がヒクリと動き、顔つきが見る見る険しくなる。チャンネルを替えようとしたのだが「そのまま」と主は硬い声を出した。

『実に恐ろしい事件が起きましたねえ』

喋《しゃべ》っているのはアナウンサーではなく、もとお笑い芸人の人気タレントだ。

『被害者は二十歳の女子大生で、先月上旬から行方不明になっていたようです。ひどく痩せた状態で発見され、胃の中はほぼカラだったらしく……おそらくろくに食事も与えてもらえなかったのでしょう』

『こわぃ……山の中の廃屋に監禁されていたんですよね？』

まだ二十歳すぎくらいであろう、ゲストの女の子が言った。最近CMでちらほらと見る顔だ。

『遺体は廃屋近くの崖下《がけした》で発見されました。逃げだそうとして、失敗したのではないかと見られています。廃屋では被害者を拘束した足枷《あしかせ》も発見されています』

コメンテイターはタレントや怪しげな知識人たちばかりである。この手の番組でまかり通るのは、使い古され無意味化した常識や、単なる感情論、裏の取れていない怪しげな噂と、出所の示されないデータばかりだ。理屈の通っていないことが許せない伊織にとっては、鬼門のような番組といえよう。

『みなさん、こちらをご覧ください。ネット上では、この事件の犯人が妖人《ようじん》なのではないかという憶測が飛び交っています』

『《油取り》？　聞いたことのない妖人ですね』

眼鏡を押し上げて、三十前後の男が言う。犯罪社会学研究者という触れ込みでどこかの大学だか短大だかの、教員らしい。

《油取り》の名を聞いて、伊織はますます眉間《みけん》の皺《しわ》を深めた。帯に挟んでいた扇子を手にして、小さく広げてはパチッと閉じるのを繰り返す。苛《いら》ついたときの癖だ。

『手元の文献によりますと、《油取り》とは人攫《さら》いの一種のようです。子供を攫って、その身体から油を絞り取ると言われています』

いやあ、と女の子が大袈裟《おおげさ》な声を出した。

『なんか、すっごい怖いんですけどぉー』

『とくに女の子はいい油が絞れるので、狙われやすいようですよ』

司会者の脅すような口ぶりに、女の子が『やめてくださいィ』と身を捩《よじ》る。司会者が立ち位置を移動させ、セットの中央に設置された大きなモニターの横に立つ。

『その《油取り》に関して、ネットにこんな書き込みが殺到しています』

モニターに、インターネット上の匿名掲示板からの写しが表示された。

——若い女の油を絞るんだよ。ギュギュッとさあ。

——圧搾か。コワ。

——油取り、美男子らしいぞ。女を騙《だま》すために。

——やっぱ、デブのほうがいいわけ？　たっぷり絞れそうじゃん？

——つか、さっさと逮捕しちまえばいいんだよ。なんのために妖人台帳作ってるわけよ、法務省は。

——油取りってだけで逮捕はできんだろ。せいぜい任意取り調べだ。

——俺の腹のアブラも絞ってくれないものか。

——一目で妖人ってわかる印つけてくんないかなー。デコにYって入ってるとかさあ。おっかねえし、友達になりたくないし。

「……馬鹿の大安売りだ」

伊織が低く言った。怒っている。

先日、あの脇坂という刑事にも言っていたが、この主は本当に馬鹿と蝦蛄《しゃこ》が嫌いなのだ。寿司《すし》なら江戸前を好む主だが、蝦蛄が入っていると、その前後左右のネタは食べられないほどだ。大好きな漬けマグロが隣にあった日には、この世の終わりのような表情になる。

「くだらない。なにが《油取り》だ。そんな妖人が実在すると思ってるんですかね、この集団ヒステリー馬鹿たちは」

「やはりいませんか、《油取り》」

「あれは単なる人攫いですよ。昔は拐《かどわ》かしが珍しくなかったからね。その恐怖感が全国各地で、いろんな名前の妖怪を生んだ——そう聞いています」

誰に聞いたのかは問うまでもなかった。妖人などという言葉が生まれるずっと以前から、その人は多くの異能力者を見てきたのだ。彼女の教えを受け継いだ伊織は、いわば歩く妖人辞典である。芳彦はお茶のおかわりを注ぎながら「また来るんじゃないですか」と主の右目を覗《のぞ》きこむ。

「誰が」

「刑事さんたち。《油取り》の話を聞きに」

「いないんだから、話しようがない」

「若い方の刑事さん、先生に心酔していたようだし」

やめなさいよ、と伊織が顔をしかめつつ最後の一口を食べた。

「馬鹿に懐かれるのは勘弁だ」

「私にもみなさんの話は聞こえてましたが、いやあ、久しぶりに清々《すがすが》しいほどのお馬鹿さんぶりでした。妖怪アニメを鵜《う》呑《の》みにしてるところがすごい」

「ウロさんも、あれには苦労してるんじゃないですかね」

「でも、悪い子じゃなさそうですよ。少なくとも素直だったし」

「どうだか」

伊織がテレビに視線を向ける。《油取り》の件はもう終わって、タレントの某《なにがし》が結婚するのしないのという話題に移っていた。

「そんなことより、最近《座敷童》《ざしきわらし》の姿が見えなくて気懸かりです」

ああ、と芳彦はちゃぶ台を拭《ふ》きながら「この半月ほど、見ませんねえ」と返す。

「二週に一度は金平糖をもらいに来ていたのに」

「べつの土地に行ったんじゃないですか。《座敷童》は一箇所に留《とど》まらないでしょう?」

「それなら、いいんですがね……」

なにを気にしているのか、伊織は心配げに睫毛《まつげ》を揺らす。

妖琦庵には妖人がよく訪れる。人間のお弟子さんは来ないが、妖人たちは気儘《きまま》にやってくるのだ。たいていは深夜の訪問で、伊織の点《た》てる茶が目当てである。

伊織のお茶は妖人たちにとっては特別なものだ。

ごく普通の抹茶のほかに、人間の味覚では感知しにくい微量の成分が入っているためなのだが、その成分は門外不出の秘伝である。ただし《座敷童》はお茶ではなく金平糖を目当てにやってくる。伊織が茶会で干菓子として使う金平糖は職人気質《かたぎ》のある妖人が作っているもので、市販されていない。ちなみに主菓子はたいていアンコものである。もちろんマメの手作りだ。

「先生！　先生先生！　せんせいっ！」

玄関から聞こえて来たやかましい声に、芳彦はお茶を注ぐ手を止めた。

「ほらほら、来ましたよ五番目くんが」

「あたしはいませんよ。追い返しておくれ」

伊織は座卓に肘《ひじ》をついて両手で顔を覆った。主が言うのならば仕方ない。居留守の伝達に行くかと芳彦が立ち上がりかけたとき、スパーン、パシッ、ドタドタと派手な音がする。まさかと思った芳彦が確かめに行くより早く、廊下がドドドと振動し、開いたままだった襖《ふすま》から、廊下を走る大きななにかが見える。そのなにかは一度廊下を駆け抜けたあと、「あっ、いた！」という声を発し、再びドドドと戻ってきて、座敷の前でドスンと膝《ひざ》をついた。

「先生っ」

脇坂である。息を切らし、髪を乱し、目を見開いている。胸には一冊の本を抱えていた。タイトルは『日本妖怪大事典』だ。

伊織の横顔は固まり、信じられないという顔で脇坂を見ている。玄関の鍵《かぎ》が開いていたのをいいことに、脇坂は勝手に入ってきたのだ。スパーンは書斎の襖を開ける音、次のパシッはいないとわかって閉める音、さらにドタドタと廊下を往復し、いまここに至ったわけだ。まるでマンガみたいな動きをする男だなと、芳彦はひとりでクスクス笑ってしまった。

「大変です先生っ、《油取り》です！」

「……大変なのはきみですよ」

脇坂を睨《にら》んで伊織が言う。

「人ンちに勝手に上がりこんで、床が抜けそうな勢いで走り回るってのはどういう作法です」

「すみません、緊急事態だったもので！」

「そっちの緊急なんざ、あたしの知ったこっちゃない。だいたい、あんたたち警察ってのはいつも人様の都合を無視して……」

「先生、僕に教えてください！　《油取り》について教えてくださいっ。聞ける人が先生しかいないんです！」

がばりと勢いよく頭を下げて脇坂は言う。

その膝が思い切り畳の縁を踏んでいるのを見つけて、伊織がますます不機嫌な顔になる。どうやら脇坂は和室でのマナーなどまったく知らないらしい。

それにしてもおかしな男だ。

芳彦も伊織とともに、Y対の新人をずっと見てきたわけだが——正直、ここまで勢いのある馬鹿は初めてである。熱意だけは、今までの五人の中でトップと言えよう。

「先生、教えてあげたらいかがです」

芳彦の言葉に、伊織が「なんで」と強い口調で聞いた。

「己の無知を自覚したからこそ、教わりにきたんです。助けてあげてもいいのでは？」

「そうです。家令さんの言うとおりです。助けてあげましょう、ぜひ」

「調子に乗るんじゃありません。だいたい、立派な本を持ってるじゃないですか。そこに《油取り》についての項目もあるでしょ」

「あ、あります。ありますけど」

まだ息も整わない脇坂が畳に『日本妖怪大事典』を置いた。付箋《ふせん》のついたページを開き、指を指す。《油取り》の項目だ。

「ここです。油取り——東北地方一帯でいう人さらいのようなもの。子供をさらっては人間の油を搾り取るという」

「そうそう、それ」

面倒臭そうに伊織が相づちを打った。脇坂は続きを抜粋して読む。

「えっと。とくに女の子は、きれいな油が取れるから狙われやすいといわれた。……柳《やなぎ》田国男《たくにお》の『遠野物語拾遺』にも記録があるようです」

「そのとおり。それが妖怪《ようかい》《油取り》です。はい、以上終了。さようなら」

「先生ィ」

本のページを押さえたまま、脇坂は情けない声を出す。

「ここに書いてあるのは妖怪のことです。伝承で、伝説で、事実とは違う。僕が知りたいのは妖怪ではなくて、妖人《油取り》についてなんです！」

へえ、と伊織が扇子の先を顎《あご》に当てた。

「妖怪と妖人の区別は明確につくようになったわけだ。しかしそれがわかったなら、ますます教えてあげられることはないですねえ。このあいだの《いったんもめん》と同じですよ。《油取り》なんて妖人はいない」

「え。でも」

「いないものはいない。ネットの噂はデマですよ。わかったらさっさと帰んなさい」

しっしっ、伊織は野良犬でも追い払うような手つきをする。

感心すべきか呆《あき》れるべきか、それでも脇坂は諦《あきら》めなかった。四つん這《ば》いになって伊織に躙《にじ》り寄り「それがあ、いるんですよ《油取り》は」と繰り返す。なんだか噂好きのオバチャンみたいな口調だった。

伊織はますます顔をしかめて、尻《しり》ひとつぶん脇坂から逃げた。

「あんたね、あんまりしつこいと小豆《あずき》と一緒に煮てアンコにするよ？」

「アンコは好きですけど、アンコになりたいほどじゃないです」

「いやいやいや、待ってください、先生。《油取り》がいるって言ってるのは僕じゃないんです。いえ、いまは僕が言いましたけど、それはコレを見たからであって」

脇坂はスーツの内ポケットから携帯電話を取り出す。

「コピーすると真っ黒になっちゃう特別な用紙なので、写真撮ってきました。もちろん写真もまずいんですけど」

手早く操作し「ほらほら」とモニターを伊織に向ける。怪訝《けげん》な顔をしたものの、伊織は一応携帯電話を受け取って、つまらなそうに眺めた。

ピクリ、とやや細めの眉《まゆ》が引き攣《つ》る。芳彦もその手元を覗《のぞ》きこんで驚いた。小さな文字の羅列——かなり読みにくいが、いくつかの妖人名称が読み取れる。

「これ、もしかして妖人台帳なんじゃ？」

芳彦の質問に「そうなんです」と頷《うなず》く。

「国民に公開すべきかどうか、いま国会で揉《も》めてるとこなのに……いいんですか、こんな写真撮っちゃって」

「よくないです。ばれたら懲戒免職かなー」

あっけらかんと脇坂は言う。

「でも、もし先生が《油取り》なんかいないって仰ったら……これを見せるしかないと思ったんです。そしたら予想通りになったし、いやあ、用意しといて正解……」

「ちょっと待ちなさい」

伊織が脇坂の言葉を止める。

「ということは、あんたは《油取り》なんて妖人はいないと、ある程度予想していたってことですか？」

その質問に脇坂は二秒ほど考え「予想というか」と続けた。

「なんかおかしいなあ、と思ったんです。理屈にあわない感じで」

「どうして」

問うと、脇坂は携帯電話にぶら下がっているマスコットをいじりながら「ええと」と言葉を整理し出した。猫のようなマスコットだが、芳彦は知らないキャラクターだ。

「このあいだ先生にいろいろ聞いて、僕の中でそれなりの整理整頓《せいとん》ができたと思うんですよ。妖人と妖怪は違う。妖人はずっと昔からいて、つい数年前までは人間だと思われていた。仮に遺伝子解析がここまで発達しなかったら、たぶんずーっと人間と交ざって、ごく普通に暮らしていたんだろうなあって」

ふむ、と伊織は軽い相づちを打つ。

「それに、妖人って昔はもっと数が多かっただろうっていう説がありますよね」

「あるね」

「妖人と人間は交配が可能……つまり、妖人と人間の間でも子供はできる。ただしその子供はほとんどの場合、妖人遺伝子を引き継がない。まだサンプルデータが少ないので、はっきりしていないけれど、妖人遺伝子を引き継ぐ子供はおそらく三割以下だろうと言われてますよね」

ああ、と伊織が頷いた。

「その確率でいくと、妖人はどんどん減ることになりますからね。逆にいえば、以前はもっといたけど、減ってしまったとも考えられる」

「ですよね。つまり、妖人は生き残っていくのが大変な種なわけです。いま現在生き残っている妖人は、厳しい競争を生き抜いた、いわばエリートなわけだと思うんですよ。で、僕、考えました。妖人が生き残るために必要な資質とはなにか」

「ほう。言ってみなさい」

脇坂は先生に宿題の回答を当てられた小学生のように、姿勢を直してから「嫌われないことです」と言った。

「だって、そうでしょう？　子供を攫《さら》ってアブラを絞るような奴のところへ嫁に行きたい子なんかいませんよ。やっぱり結婚するなら、収入が安定してて、自分を大事にしてくれる人でなきゃ。あと、いやな姑《しゅうとめ》がいないことも大事ですよね。たとえ持ち家があっても姑がいたらNGだってうちの姉が言ってました」

「話が脱線してます」

「あ。すみません。とにかく、人攫いなんて悪いことしている奴は、共同体からつまはじきにされて、結局子孫を残せなくなると思うんですよ、僕」

伊織は腕組みをし、黙って脇坂を見ていた。

脇坂はなんの返事もないことが不安になったのか、正座のままもじもじし始め、助けを求めるように芳彦を見る。そんな顔をされても芳彦にはなにもしてやれないのだが、とりあえずお茶くらいは淹《い》れてやろうと、茶簞笥《ちゃだんす》から新しい湯呑《ゆの》みを取り出した。

「脇坂くん」

伊織に呼ばれ、脇坂が「は、はい」といくぶん声を上擦らせた。採点の時間だ。

「どうもきみの理論はつっこみどころが多いね。まず、《油取り》のところに来たがる嫁はいないと言ったが、《油取り》が女性だという可能性は皆無なわけですか？」

「あ」

脇坂が口を開けたまま、言葉を失う。

「仮に《油取り》が男だとしても、ふだんは温厚な小市民の顔をして暮らしているのかもしれない。そうしたら、周囲の人は気がつかない」

「いや、でも、警察が……」

「警察がすべての犯罪者を捕まえているとでも？　しかも、昔は科学捜査なんてものもなかったし、もっと遡《さかのぼ》れば警察、つまり国が犯罪者を捕らえるシステムなどなかった時代のほうが、ずっと長いんですよ？」

脇坂はなにも言い返せず、口をぱくぱくさせている。芳彦がお茶を出してやると、ぺこりと頭を下げて、自分を落ち着かせようとするかのようにさっそくそれを啜《すす》った。

「それじゃあ」

喉《のど》が渇いていたのだろう、ぬるめに淹れたお茶はあっという間になくなってしまう。

湯呑みを置いて脇坂が悄然《しょうぜん》と言う。

「やっぱり《油取り》はいるんですか……？」

「きみね、人の話をちゃんと聞いてンのかい。いないって最初に言ったでしょうが」

「え、でも先生はいま……」

「きみの理屈が穴だらけなのと、《油取り》がいるいないは別の話ですよ。そりゃこの世に『絶対』なんてものはないけど、《油取り》のいる確率はかなり低い」

「はあ。どうして、わかるんですか？」

いたって真っ当な疑問をぶつけられて、伊織は僅《わず》かに戸惑ったような表情を見せた。

「ウロさんに聞いてないんですか？」

「はい。先生が妖人に詳しいということしか」

伊織は内心で舌打ちをするような顔を見せた。この主《あるじ》は、自分のことを語るのが好きではないのだ。だが答えないわけにもいかないと考えたのだろう、そっぽを向きながら
「母に聞いたからです」と告げる。

「はは？」

「あたしのおっかさんですよ。妖人に詳しい人だった」

「あ、そうなんですか。へえ」

一度は納得したような顔を見せた脇坂だったが、しばらく湯呑みを見つめて考えこんだあと、「えーと、どうして詳しかったんですか？」と再度聞く。伊織が面倒くさそうに芳彦を見るので、家令として代わりに説明してやることにした。

「あのね脇坂さん。たとえば、あなたが街で妖人《ようじん》とすれ違ったとき『あ、妖人だ』ってわかりますか？」

「いいえ、わかりません。だって見た目は人間と変わらないんだし」

「でしょう？　これは妖人同士でも同じ。妖人同士が出くわしても互いに気がつかない」

「ですよね。見た目でわからないからこそ、ＤＮＡ検査の義務化とか、妖人台帳の公開とかでいま揉めてるんですよね」

ウンウン、と脇坂が頷く。芳彦は微笑み、続きを語った。

「でも、それがわかる妖人がいるんです」

「え」

「目の前にいるのが人間なのか妖人なのか。見ただけで、一瞬にして判断できる能力を持った妖人が稀《まれ》に存在します。それがうちの先生の母上だったんです。もう亡くなっていますが、美しい方でしたよ」

脇坂は一度伊織を見てから「先生はお母さん似なんですね」と感心したように頷いた。

「もちろん昔は妖人という概念自体がなかったので、『なにか普通と違う気配を纏《まと》った人がいる』という感じだったようです」

「気配……」

「気、という言い方でもいいでしょうね。見えないけれど、誰もが持っているものですよ。肉体と精神と気は、深く関与しあっているんです」

「ということは、先生のお母さんは妖人だったんですか？」

脇坂が念押しのように聞くと、伊織が口を開く。

「だから、そうだと話しているでしょうが。まったく、頭の回転の悪い人だねえ。壊れた洗濯機だって、きみよりはよく回るだろうよ」

「しかも、とてもすごい妖人だったんですねえ。ほえぇ」

伊織の嫌みなど気にもとめず感心するこの刑事は、ある意味精神的に強いのかもしれない。芳彦は笑いながらさらにつけ加える。

「先生の母上は日本中を旅して、いろいろな妖人を見てこられたそうです。そしてその知識は先生がしっかりと受け継ぎました。先生より妖人に詳しい者はまずいないでしょう。……ちなみに、私も妖人です」

「えっ。家令さんも！」

「ええ。洗足家をお守りしている《管狐《くだぎつね》》です」

「《管狐》！　知ってます、竹筒に入るくらいの狐で、いわゆる憑《つ》きもの系ですよね！　飼い慣らすと大金持ちになれるっていう」

子供のように目を輝かせて脇坂が言った。

芳彦がどう返事をしようかと思っていると、伊織が横から「ウチが大金持ちに見えますか?」と冷たく答える。

「まあ、家にというか、私の場合は主に憑きます。つまりこの先生に憑いているわけです。あともうひとり、うちにいるのが……」

ちょうど紹介しようと思ったタイミングで、座敷にマメが姿を現した。手にはピカピカに磨いた小豆《あずき》が盛られた笊《ざる》を持っている。

「うーん、いい汗かいた!……ひゃっ、すみません、お客さまでしたか!」

マメが驚き、ぴょんと飛び跳ねた。その拍子に小豆がぱらぱらと転がり落ちてしまう。

「ああ、大変」

笊を畳の上に置き、マメがあわあわと小豆を拾い出す。脇坂のほうにも数粒転がり、苦労知らずを語る綺麗《きれい》な指先が拾い上げ、マメに渡した。

「はい。どうぞ」

「ありがとうございます、お客さん」

愛想のいいマメがニパッと笑い、脇坂もつられて笑っている。

「このマメも妖人です。《小豆とぎ》」

「ええっ、あの有名な!」

脇坂が大袈裟《おおげさ》に驚き、やおらマメの手をギュッと握った。マメは驚いて目をぱちくりさせる。

「すごい。お会いしたかったです！　あ、あのう、ぜひお聞きしたいんですが《小豆とぎ》って、つまるところなにをする妖人なんですか……？」

「はい、小豆をとぎます！」

マメの返事は屈託なく明るい。

「それは知ってます。ですから、といでどうするかという……」

「どうもしません。でも一生懸命とぎます！　あ、おはぎも作りますよ、芳彦さんと一緒に」

「おはぎ。そうですか。あのう……こんなことは聞きにくいのですが」

脇坂が言葉を躊躇《ためら》ったところで、伊織が口を挟む。

「言っときますけど、うちのマメは小豆をとぐだけですよ」

「でも、なんかちょっと怖い歌が伝わってるじゃないですか。『小豆とぎましょか、人とって食いましょか』って」

「あれはただの伝承」

伊織が答え、マメも「僕、人なんか食べません！」とぶんぶん首を振る。そうなのか、あ、と脇坂が少しばかりがっかりした顔を見せた。

「脇坂くん。人間ってのはね、ひどく恐がりな生き物なんです。自分にとって理解不能なものを恐ろしい存在、害を為す可能性が高い存在として定義づけたがる。実際には多くの妖人は無害であり、だからこそ今日まで人間に紛れて生きてこられた——つまり、さっききみが言ってたことは、おおむね合ってるわけですよ」

伊織は扇子を取り出して広げ、パタパタと扇ぎながら言った。茶の間の人口密度が増したので、少し暑苦しい。芳彦は窓を開けて風を入れる。脇坂はなにやら手帖《てちょう》に書きつけていたが、ふと顔を上げて「あれ？」と伊織を見る。

「先生のお母さんが妖人だったってことは……もしかして、先生も妖人だったり？」

普通、もう少し早くその質問が出るだろうと思うのだが、そこが脇坂らしいところだ。

「あたしは保留中です」

伊織は扇子を畳んで素っ気なく返す。

「保留中？」

「先生はね、ちょっと特殊なケースなんですよ。もうじき法務省が結論を出すと思うんですが。……それより脇坂さん、あなた本来、例の殺人事件のことでいらしたんじゃないですか？」

「あ。そ、そうです。そうなんです！　実は、遺体の胃の内容物がわかったんですけどね、少量ですがダイエットフードだとわかったんですよ」

伊織がチラリと脇坂を見た。

「脇坂くん。そういうことをこんなところでぺらぺら喋《しゃべ》っていいんですか？」

「もちろんみなさんを信頼しているから喋るんです。他言しないでくださいね」

唇の前でピンと指を立てる仕草が芝居めいていて、どうにも軽々しい。

「で、捜査本部がそのダイエットフードについて徹底的に調べたところ、結構マイナーな商品だったんですよ。チェーン店なんかで、大規模に売られているやつじゃなくて、ネット上でクチコミで広がったタイプですね」

芳彦は窓を再び閉める。この屋敷の敷地は広いが、それでも風は人の声を運ぶだろう。

「製造元と販売元はもう判明しています。で、販売している業者の中に妖人がいました。しかも、その男の属性登録が《油取り》になっていて……僕がこうして駆けつけてきたわけです」

大人しく聞いていたマメが芳彦に「《油取り》ってなんですか？」と聞いた。夢中で小豆をといでいたので、座敷での会話はなにも聞いていなかったのだろう。芳彦は優しく「あとで教えてあげるよ」と答える。

「なのに、先生は《油取り》はいないと仰る……」

脇坂は足を崩し、胡座《あぐら》をかいて鼻の頭を擦《こす》る。マメがおはぎを持ってきて「どうぞ」と出すと嬉《うれ》しそうに「おはぎ！」とかぶりついた。妙にこの座敷に馴染《なじ》んできている。

「いやあ、このあいだ、僕はアンコの美味《おい》しさに目覚めました。いままではケーキ派だったんですけど、和菓子もいいですねえ」

「嬉しいな。僕のアンコ美味しいですか？」

口の周りをアンコだらけにしながら「そりゃあもう」と脇坂が答え、マメは実に満足そうだ。

「しかし先生、なんだか僕はわからなくなってきました。捜査一課は《油取り》が容疑者だって騒ぎ始めるし、でも先生はそんなものいないと仰るし、僕もそんな気がしてるし、なのに台帳にはちゃんと記載されている……」

「そもそも、その台帳がいいかげんなんですよ」

「え。いいかげんなんですか？」

真顔で聞く脇坂に、伊織が「属性に関してはね」と不機嫌に答える。

属性とはつまり、どんなタイプの妖人《ようじん》なのかということだ。《河童《かっぱ》》なのか《座敷《ざしき》童《わらし》》なのか、はたまた《猫女》か。

「妖人登録にはDNA検査結果が求められますが、属性については自己申告ですからね。間違いだけでなく、思い込みも多いでしょうよ。わからない場合はガイドラインを参照しろとありますが、このガイドラインがまた最悪だ。ものを知らない役人が、そのへんの妖怪本を参考にして作ってるんです。泳ぎのうまいあなたは《河童》です、ときたもんだ。確固たる理由付けなど必要とされていない。まったく、いいかげんにもほどがある。だいたい、圧倒的に多いのは『なんの特徴もない妖人』なんだから、属性の分類なんか無意味だろうに」

長々と文句を垂れる伊織に、脇坂が「はあ」と相づちを打つ。

「じゃ、この《油取り》もあてにならないんですねえ……」

伊織の説明に「うーん」と右手の指を舐《な》めつつ、左手で携帯の画面を再度見る。

「だとしたら、この人はなんで自分を《油取り》にしたんだろう……。《油取り》を選んだ理由がなにかあったのかなあ？」

「自分でわからないから、適当に選んだというのもあり得るんじゃないんですか？」

芳彦が言うと「わからない場合、『不明』で登録してもいいんです」と教えてくれる。

「適当につけるにしても、もう少しメジャーな妖人ならまだわかるんですが……《油取り》なんて、妖怪マニアの僕だって記憶になかったほどなのに。しかもかなり物騒な妖怪です。人の油絞っちゃうわけで」

わかんないんですよねえ、と脇坂は身体を捩《よじ》りながら悩む。

「ダイエットブームを意識してたとかね」

冗談のつもりで芳彦は言ったのだが、脇坂は真剣に受け止めて「なるほど」と頷《うなず》く。

「あり得ますよね。痩《や》せたい女の子には受けがいいのかもしれません、《油取り》。ダイエットは女の子の永遠の課題ですから」

「脇坂さん。どうして女の子はみんな痩せたがるんですか？」

マメが素朴な疑問をぶつけた。

「健康に悪いほど太ってるならともかく、普通の体型の子でも痩せたい痩せたいって言うでしょう？　痩せてたほうが、男の子にもてたりするんでしょうか」

「んー。たぶん、ダイエットに関しては異性はそれほど関係ないですね」

脇坂は答え、身体をマメの正面に向けた。

「だって、男ってべつに痩せてる子が好きってわけじゃないでしょう？　グラビアアイドルとか、むっちり系も多いわけだし。それより、女子の中での闘いなんだと思うな」

「闘い？　それはまた怖い」

芳彦が笑うと、脇坂は真面目顔で「いやいやホント、闘いですよ」と答えた。

「女の闘いはシビアなんです。うちの二番目の姉が言ってましたけど、男とデートするときより、久しぶりに会う女友達と食事するときのほうがオシャレに気合い入れるって。クラス会なんか大変ですよ。三番目の姉は一か月前からダイエットしてましたもん」

大変なんですねえ、とマメがつくづく驚いた。

「女同士の友情って、いいなーと思う反面、たまに怖くなるんですよね。にっこり笑って相手の服を褒めながら、内心では批判しまくりなんて日常茶飯事だって、一番上の姉が言ってました。すぐ上の姉なんか、ファッション業界にいるもんだから、相手を五秒も観ればその人の身につけている物の総額とライフスタイルがだいたいわかるって。すごい観察力ですよねえ」

「ちょっと待ちなさい。脇坂くん」

伊織が脇坂の言葉を遮る。脇坂はやや背中を緊張させ「あ、もちろんすべての女性がそうだというつもりは……」と言い訳をする。

「そうじゃなくて。きみ、いったい何人お姉さんがいるんだい」

芳彦も気になっていた質問だった。

「五人です」

するりと脇坂が答える。

「双子がひと組入ってます。父は早くに亡くなっているので、わが家は女ばかりなんですよー」

楽しげに答える脇坂だが、芳彦は想像しただけで目眩《めまい》がしそうだった。上に五人も女がいたら、どれだけ囂《かまびす》しいことだろうか。

「ええと、なんの話でしたっけ。そうそう、ダイエット。女子には呪いがかかっているんです。痩せなきゃいけないという呪いが……」

胸の上に手を当て、おかしなポーズで脇坂は説明した。

「バカらしい。その呪いをかけたのはマスメディアですよ」

伊織はこの話題に飽き飽きしてきたらしく「そろそろ夕食の支度じゃないのかい？」と芳彦を急《せ》かしだした。そうそう、オーブンを温めてグラタンを作らなければならないのだ。芳彦は立ち上がり、芳彦たちが座敷を出たそのとき、マメが「はあい」と立ち上がり、マメに「チーズを下ろそうか」と声をかけた。

「どうして青目《あおめ》さんはコレを選んだのかなあ……」

脇坂がぼそりと呟《つぶや》く。

芳彦が慌てて振り返ると、携帯を手にしてさきほどの画像を眺めていた。向かいに座っている伊織の眉間《みけん》に深い皺《しわ》が刻まれる。

「……なんだって？」

　主が低い声で聞く。脇坂が携帯から視線を外し、きょとんとした顔で伊織を見た。

「いま、なんて言いました？　青目と言いませんでしたか？　それはまさか……青目甲《か》斐児《いじ》のことじゃないでしょうね？」

脇坂はもう一度携帯を見る。指先で操作して画像を拡大しているようだ。近視ぎみなのか、携帯を顔に近づけて「画数の多い字がわかりにくくて……」と呟く。

「あ、スクロールしたらローマ字表記がありました。アオメ・カイジ……うん、そうですね。その人です。お知り合いですか？」

脇坂の問いに伊織は答えない。ただ苦虫をかみつぶした顔で「青目」と呟き、そのまま立ち上がると座敷を出て行ってしまう。

「え。先生？」

脇坂が追おうとするのを芳彦は止めた。ああいう顔をしているときの伊織になにを言っても無駄である。おそらく妖琦庵にとじこもり、当分は出てこないだろう。

「お知り合いなんですか？」

「まあ、知らない相手ではないですね……」

答えながら、芳彦の気分も重たくなった。耳の後ろがピリピリする。あまりいい予感ではない。青目甲斐児が今回の事件に関わっているなら——少しばかり厄介だ。芳彦としては、青目の存在は伊織から遠ざけておきたい。

「先生、グラタンどうするんでしょうね……」

マメがちょっとピントのずれた心配をする。

芳彦が苦笑して「今夜はきっと食べないね」と返すと、図々《ずうずう》しい新人刑事が自分をヒヨイと指さして、

「あっ。僕、グラタン大好きです！」

と主張したのだった。

※

「繭美《まゆみ》さんも、やっぱり痩せたいとか思います？」

バイトの同僚に聞かれ、繭美は「えー」と笑った。正午から一時までの忙しい時間帯がすぎて、一息ついたところだ。繭美がアルバイトをしている弁当屋は、ごく小さな店なのだが味がよいと評判だった。さっきまでは店の前に行列が出来ていたほどだ。弁当の他に総菜も扱っていて、近所の主婦も買いにやってくる。

勤めていた会社が突然業務を縮小したのは半年前だ。

事務担当だった繭美は解雇を言い渡されてしまった。それなりに仕事はこなしていたつもりだっただけに、ショックだった。しかし、嘆いていても始まらない。このバイトは時給こそ安いものの、あまった弁当や総菜を分けて貰《もら》えるところがありがたい。繭美は日中この弁当屋でバイトをし、夜は専門学校に通っている。やはり手に職をつけておくべきだと、つくづく思ったからだ。

「あたしはダイエットどころじゃないよー。食費切り詰めてるくらいだもん」

笑いながら答えたが、内心で（学生さんはいいよねえ）とも思った。確か彼女は親元から学校に通う大学生で、このバイトだって自分が遊ぶ金のためだろう。母子家庭に育ち、奨学金制度で高校を出た繭美とは立場が違う。

「繭美さんは美人だし、今だってぜんぜん太ってないけど……」

「恥ずかしいなあ、もう。美人なんかじゃないって」

「でも、このあいだカッコイイお客さんと、仲良さそうに話してたじゃないですか」

彼女のいうカッコイイお客さんが誰なのかはすぐにわかった。この一週間で二回弁当を買いに来た背の高い人だ。少し濃いめの顔つきなので好みは分かれるかもしれないが、本当に、間違いなくカッコイイ。芸能人だと言われたら、信じてしまいそうだった。

「話してたって言っても、今日の幕の内の中身とかだよ?」

「うそうそ。あたし、見ちゃったんですよね。あの人、お金払うとき、一緒にケーバン渡してたでしょ?」

しまった、ばれていたか。耳が熱くなるのを感じながら、繭美は苦笑する。

「もらったけど、かけてないよ」

「なんでなんで。もったいない!」

「正直、ちょっと嬉《うれ》しかったけど、あそこまでカッコイイとちょっと引いちゃうのよね。あたしがチカちゃんくらい若かったら、また別かもしれないけど」

「若くても、子豚ちゃんじゃダメですよ」

ぷう、とむくれてチカが言う。こんなふうに、自分を堂々と貶《けな》せるのも若さの特権だ。相手がすぐに「そんなことないよ」とフォローしてくるのを、当然のように期待しているのだろう。その期待を無視して人間関係にひびを入れるほど、繭美は馬鹿ではない。

「なに言ってるの。チカちゃん、可愛いよ？」

「お世辞はいいんです」

まるきり世辞というわけでもないのだ。もうすぐ三十になる繭美から見れば、彼女の張りのある肌は羨《うらや》ましいものだったし、多少太めとはいえ、ボリュームのあるバストには同性ながら見とれるほどだ。しかし、彼女は自分の体型にコンプレックスがあるらしく、下手に褒めるとむしろ不機嫌になってしまう。

「友達はみんな、もっと華やかなバイトしてるけど、あたしはチビでデブだから……お洒落《しゃれ》なカフェで働くとか、無理だし」

つまり弁当屋のバイトなど、本意ではないということだろうか。

同じ職場で働いている自分を前に、よく言えるよなあと怒るより呆《あき》れてしまう。かといって、いちいち諭してやるつもりもない。ホント、若い子って扱いにくいなあ……繭美はそう思いながら「いまどんなダイエットが流行なの？」と相手に話を合わせた。すると彼女は繭美にとってはまったく無縁な情報をいろいろと教えてくれる。興味のない話に「そうなんだ」「すごいね」と感心した素振りを見せるくらいは、三十年も生きていればできるようになる。

夜八時、繭美はいささかの精神的疲労を抱え、アパートに戻った。

手には弁当をひとつ下げている。今日は全般的に売れ行きがよくて、余ったのはこれひとつだった。この弁当が繭美の夕食だ。

二十九歳で、六畳間のアパート暮らしで、恋人はいない。

チカは美人だと言ってくれたけれど、本当に美人ならもっともてるはずよね、と思う。好感の持てる顔だとよく言われるが、それだけだ。昔つき合っていた男性からは「いまいち地味なんだよ、色気が足りない」と言われたことがある。とても傷ついたのは、たぶん自分でもそう思っていたからだろう。

女友達からは「もっと華やかな服を着て、お化粧もちゃんとしなよ。そしたらぜんぜん変わるよ？」とアドバイスされた。言われていることはわかるのだが、華やかな服や濃い口紅はどうにも落ち着かない。それに、お金もかかる。結局、着回しのきく地味な色合いの洋服が多くなるのだ。自分を変えるのはなかなか難しい。

——魔法使いが現れればいいのに。

ときどき、子供じみた想像をする。地味で堅実、そんなふうに言われ続けてきた自分をたちまちのうちに変身させ、眩《まばゆ》いばかりの王子様と引き合わせてくれればいいのに。人は女性のシンデレラ願望を笑うけれど、べつに夢見るのは自由だ。夢だとわかっているから、安心してロマンチックな妄想に浸れるのだ。本当にそうなりたいと思ってる女性などいない。結婚したあとのシンデレラはどうなる？　いま人気のドラマみたいに姑《しゅうとめ》と折り合いが悪くなるかもしれない。王子様はマザコンで、ママの肩ばかり持つかもしれない。

現実は厳しいことはみんな知っている。そのただ中で生きているのだから。

「……あれ。キノくん。どうしたの？」

アパートの前で小さな男の子が立ち竦《すく》んでいた。

ライトブルーのスモックに半ズボン。リュックサックを背負い、黄色い長靴をはいている。いつ会っても同じ恰好《かっこう》のこの子と繭美は顔見知りだった。五歳くらいだろう。髪型はいわゆるマッシュルームカットで、なんだかキノコの妖精《ようせい》のようなので繭美は勝手に「キノくん」と呼んでいた。

男の子は繭美を見上げ「やびけたの」と言う。なんの話かと思えば、黄色い長靴の足下に細かい豆のようなものが散らばっていた。近寄ってかがみ込んでみれば、小豆《あずき》の粒だ。男の子の手には、破けてしまった縮緬《ちりめん》布がある。

「あ、お手玉ね、これ。懐かしい」

繭美の言葉に、男の子はたどたどしい言葉で説明する。

「ぽん、ぽん、ってしてたの。そしたら、ばらばらばら、って」

「ちょっと見せて。ああ、縫い目から破れちゃったみたいだねえ」

「おてだま……やびけた……」

「やぶけた」が「やびけた」になってしまっている。

男の子は悲しそうと言うよりも、呆然《ぼうぜん》としているようだった。どうしたらいいのか教えてくれと言いたげな顔で、繭美を見る。そんな顔をされても困るなあ、と繭美は男の子に聞いてみた。

「キノくん、今日もひとりなの？」

男の子はこっくり頷《うなず》いた。繭美はこの子が母親なり父親なりといるところを見たことがない。こんな時間に小さな子がふらふらしているところを見ると、もしかすると一人親で、しかも夜に働きに出てしまっているのだろうか。かつての自分と重ね合わせると、どうにも不憫《ふびん》でならない。

「お手玉、直してみようか」

「なおせる？」

「うーん、わかんないけど、頑張ってみます」

繭美が笑うと、男の子も笑う。ふにっ、としたほっぺたが可愛らしい。

「小豆のお手玉なんて、いまどきあるんだねえ。お母さんが作ってくれたの？」

「ともだち」

「ああ、友達がくれたのね」

「ん。ともだち。せんせいのところにいるの」

先生？　幼稚園かなにかの話だろうか。

よくわからなかったが、繭美はとにかく「いいねえ」と言っておく。この子はお腹をすかせていることも多いので、今夜はお弁当が半分こになるかもしれない。繭美はそれでも構わなかった。たったひとりで食べるより、ふたりで半分こしたほうが、ずっと美《お》味《い》しく感じられる。足りなければ、あとでせんべいでも囓《かじ》ればいいのだ。

それに、このあいだこの子は繭美に自分のおやつをわけてくれた。白、赤、黄色に青の小さなお星様……金平糖など久しぶりに食べたが、なんとも繊細な甘みで美味しかった。男の子は金平糖を「つのつののお菓子」と呼んでいて、それがとても愛らしくて、思わず抱き締めてしまったほどだ。

男の子と手を繋《つな》いでアパートの階段を上がる。一緒に歌を歌った。男の子がよく歌う、『おかあさん』という童謡だ。これもまた懐かしい。胸のあたりがしみじみと温かくなってくる。

狭い部屋の中に入ると、男の子はパタパタとベランダに続く窓のそばに走った。それを目で追った繭美は、また洗濯物を取り込み忘れているのに気がついた。

「だめ」

男の子がくるりと繭美を振り返って言った。

「え？　なあに」

小さな手の指が、洗濯物を指している。

「おせんたく。だしたまま。だめ」

「あはは。そうだよねー。せっかく干したのに、夜だから湿気っちゃったよね」

ぷるぷると、男の子が首を横に振る。

「ちがうの。あさ、おせんたくだす。よるまでずっとある。まわりのひと、わかるよ。おねえさんいないときと、いるときと、わかる」

蘭美は驚いた。

つまり、こういうことだろうか？　洗濯物を干しっぱなしにしていると、周囲に生活リズムがわかってしまって、防犯上よくないと？

まさか、五歳かそこらの子供がそんなこと考えるはずがないだろうが……男の子は「だから、だめなの」の真剣に言う。

不思議な子だ。ときどき、目の光だけがやけに大人びる。

「うん……わかった。だめだよね。もうしない」

蘭美が答えると、安心したように笑い、小さなローテーブルの上に握っていた小豆の粒をぱらぱらと広げだす。

その姿を見ながら、蘭美は裁縫セットをどこにしまったのかを思い出そうとしていた。

四

「私としては鱗田さんのお力を拝借するまでもないと思ったのですが、一応妖人絡みの線も出て来ましたので」

慇懃《いんぎん》無礼を絵に描いたように、捜査一課の玖島《くじま》が言う。

捜査本部横の小さな会議室で、ふたりは顔をつきあわせて腰掛けていた。玖島の口調には明らかに迷惑そうな色合いが滲《にじ》んでいる。なんでY対に事件の経緯を説明しなきゃならないのだ、戦力になるわけでもあるまいに……そんなふうに思っているのだろう。

糊《のり》の利いたワイシャツに、濃紺のネクタイ。スラックスにはピシリと折り目が入っている玖島は、刑事というよりはどこぞの銀行員といった風情だ。確か三十二、三だったと記憶している。自分よりずっと後輩の刑事にこんな態度を取られて楽しい気分になるはずもないが、いちいちつっかかるのも馬鹿らしい限りだ。鱗田はぼんやりした表情のまま、「まあ、なにごとも協力が大事さ」とだけ言った。

被害者の女子大生——武藤朱理《むとうあかり》の胃の中から、未消化のダイエットフードが検出された。おからを主成分としたクッキーのようなものだ。

似たような商品は多いが、細かく砕いたチーズの成分が商品の特定に繋がった。販売元をつぶさに当たった結果、《油取り》なる妖人に行き着いたわけである。捜査一課は色めき立った。ちょうどネット上では、《油取り》の恐ろしい習性がまことしやかに囁《ささや》かれ……いや、囁くどころか、みなが大声でわめき散らしているような状況だったのだ。

「もっとも、噂と事実はわけて考えなければなりません。《油取り》が犯人だとは限らないでしょうが、犯人と繋がっている可能性はあります」

玖島は銀縁眼鏡のブリッジをヒョイと上げ、当たり前のことをご丁寧に説明した。ネットの噂とダイエットフードを販売していただけで犯人にされては敵《かな》わない。

「これが今回の事件の資料です。現場の写真に、司法解剖の結果。被害者の生前の写真もあります。一緒に写っているのは大学の友人です」

鱗田は写真を手にした。入学式だろうか。朱理は淡い桜色のスーツを着て、お馴染《なじ》みのピースサインで笑っている。

凄惨《せいさん》な現場にはある程度慣れている。血の色にも、死臭にも、人は慣れてしまうものなのだ。けれどいつまでたっても、もう死んでしまった人間が、笑顔を作っているかつての写真を見るのは辛《つら》い。不思議なもので、遺体の写真そのものより心が痛む。

遺体の写真は死んでいる。だが、笑顔の写真は——生きている。生前のその人が感じられる。この世に生きて、動いて、喋《しゃべ》って、喜んだり悲しんだりしていたことを強く思い出させる。

「……ところで」

玖島が資料を並べながら鱗田を見た。

「Y対の新人さんですが、なんとかなりませんかね」

「脇坂のことかい」

そうです、と玖島は眉《まゆ》を顰《ひそ》める。

「あの坊や、首に縄でもつけといたほうがいいんじゃないですか。呼ばれてもいないのに捜査本部に入りこんでは、進捗《しんちょく》状況を知りたいだの、資料を見たいだの。そうかと思えば、このあいだ六本木にできたジェラート屋がおいしいだの、紫外線防止クリームでいいのが発売になっただの、うっとうしいったら」

「紫外線？」

「五月は一番紫外線が強いそうですよ。将来顔にシミができるのがイヤだとかほざいてました。なんなんですか、あいつは。オネエっぽいわけでもないのに、情報ネットワークが妙に女性的で気持ち悪い」

気持ち悪いは言いすぎだが、確かに女性的な情報網の持ち主ではある。しかし顔のシミが年と共に増えるのは事実なので、鱗田としてはもっと早くそれを知りたかった。かといって、自分がいちいち日焼け止めクリームを塗ったとも思えないのだが。

「はっきり言って、捜査の邪魔です」

「そう言えばいいだろうが」

「私だってそうしたいです。ところがあの坊や、上のほうと顔見知りの様子でしてね。管理官なんか、やあやあ洋二くん、大きくなったねえ、なんて言い出す始末で」

まったくやりにくいったら、と玖島は文句を垂れる。

「現場経験もないくせに捜査に口を出すなんて十年早いんですよ。鱗田さんはベテランだから、私の気持ちをわかっていただけますよね」

「さあな。俺には俺の気持ち以外はわからん」

資料を捲《めく》りながら適当に答えると、玖島がムッとした顔になるのがわかった。確かに脇坂がいまのところ役立たずなのは事実だが、邪魔なら邪魔と本人に言えばよかろう。鱗田は奴の保護者ではないのだ。

「彼はどう考えても刑事に向いてません」

「そうかもしれんな」

しつこそうなので、同意したふりをしておく。

刑事という職業に必要な資質はなにか——これでも長年現場にいた鱗田にはわかっているつもりだった。ひとつは経験だ。これは時間と努力で得られる。次には勘。昔からドラマなどでよく使われてきた「刑事のカン」というやつである。勘は経験と密接に関係しているのだが、同時にもともとの素質も大きい。たとえば妖琦庵の亭主、洗足伊織。彼などは恐ろしく勘のいい男である。

刑事の条件はもうひとつある。運だ。

身も蓋《ふた》もないが、本当にそうなのだ。運が良くなければ手柄をあげられる刑事にはなれない。これぱかりは努力のしようがない。たとえば鱗田には運がなかった。だからいつも手柄を上司に横取りされていたし、さんざん現場でこき使われて、挙げ句の果てにはY対なのである。

で、脇坂はどうか。

まず経験はない。そりゃそうだ。Y対が初の現場なのだから。勘はあるのか。これは未知数だが、あまり期待できそうにもない。では運はどうなのか。権力を持つ伯父《おじ》がいて、希望の部署に配属されたことはある意味運がいいのではないか。さらに洗足に「Y対にいても無駄だ、やめたほうがいい」とは言われたものの「二度と来るな」とは言われなかった。あれだけひどい無知蒙昧《もうまい》っぷりを晒《さら》してもなお、その程度ですんだのである。過去五人の新入りをあの家に連れて行き、そのうち四人が「二度とうちの敷居を跨《また》ぐな」と宣告されたことを考えれば、奇跡とも言える。

「鱗田さん？」

黙りこくって考えていた鱗田に、玖島が怪訝《けげん》な目を向ける。

「いや、なんでもないよ。……これが被害者の握ってたネックレスかい」

証拠品の写真を見ながら聞いた。玖島がそうです、と答える。

「ホワイトゴールドのチェーンに、花の形のペンダント。石はルビーです。被害者の友人に写真を見せたんですが、彼氏に買ってもらったものだと自慢していたそうです」

可愛いアクセサリーを買ってくれた彼氏に、彼女は監禁された線が濃い。

遺体は山中の崖下《がけした》で発見された。

東京から車で三時間もあれば行けるが、観光地でも避暑地でもない、人気のない地域だ。朱理は薄いキャミソールに裸足《はだし》という姿で死んでいた。かなり痩《や》せた状態で、一六三センチの身長で、三十八キロしかなかった。

ただし、餓死したわけではない。

直接の死因は頭部挫傷《ざしょう》である。崖下に落下して、頭を打ったのだ。胃の内容物からしても、犯人が死なない程度にダイエットフードと水分を与えていたのは明白だ。

遺体は比較的きれいな状態で発見された。梅雨前で、しかも山中の気温は平地より低かったからだ。動物に食い荒らされていなかったのも幸運だった。……いや、死んでしまっては幸運なはずもないが。発見したのはたまたま山菜を採りに入っていた麓《ふもと》の住人で、検死解剖の結果、死後二週間あまりと報告された。

「逃げようとして、突き落とされたんでしょう。可哀相に」

玖島が写真の端を軽く弾《はじ》いて言う。

「……なんでネックレスを握ってたんだ？」

鱗田がひっかかったのはそこである。

「握りしめてて、なにかの拍子に鎖が切れたんじゃないですかね」

「いや、だからさ、なんで握りしめる必要があるんだ？」

「無理に取られそうになっただとか？」

おかしいだろ、と鱗田は首を横に振る。

「大切なものならともかく、自分を酷《ひど》い目に遭わせている男が買い与えたもんだろ？　なんで取られるのがいやなんだ？　むしろ身につけてるのもいやにならないかい」

「その疑問は捜査会議でもあがったんですが……もしかしたら、犯人がかけていて、揉《も》み合ったときに被害者が引きちぎったとか」

「男はこんなネックレスしないだろ」

「女だと思わせ、捜査を混乱させる……いや、考えすぎですね」

「同感だね」

鱗田は次に被害者が監禁されていた廃屋の写真を見る。

まだこの山で猟をする人々がいた頃に作られた山小屋だ。持ち主はとうの昔に亡くなっていて、相続人も興味を示さず、ずっと放置されたままだったと報告されている。足《あし》枷《かせ》やロープ、さらに被害者が使っていたと思われる布団や、ストーブのそばには薪も積んである。買い置きのダイエットフードやミネラルウォーターもたっぷりあった。

「逃げなかったら、殺されなかったんじゃないか？」

ぼそりと呟《つぶや》くと「時間の問題だったかもしれませんよ」と玖島が返す。

「女の子を監禁するくらいだから、頭のイカレた野郎です。なんの拍子にカッとくるかわからない」

「だがなあ、ここに写ってるの、これ体重計だろう」

「はあ。そうですね」

玖島が改めて写真を覗《のぞ》きこむ。

「それに、こっちのこれ。これは血糖値測定器だ」

「ああ、はい。よくわかりましたね」

「昔の現場で同じもんを見たことがあるんだよ……被害者が糖尿病患者だったんだ。でも、今回の女子大生は違うだろう？」

「いたって健康な女の子でした」

「ならこれはなんのためにあるんだ？　犯人に持病があって、自分の血糖値を計っていた可能性もあるが、だとしたら置きっぱなしにはしないだろ。てことはやはり女の子の血糖をチェックしていたんだよ。かなり無茶なダイエットを強制していたから、低血糖を恐れたのかもしれない。つまり、そこまで犯人は気を遣っていたんだ、彼女を生かしておくことに」

ううん、と玖島が唸《うな》る。

「さすがですね、鱗田さん。私たちと同じ結論に辿《たど》り着いています。そうです、犯人の目的は殺すこと以前に、まず痩せさせることだったと考えられます」

褒めるにしても上から目線の玖島に内心で辟易《へきえき》したが、顔には出さず「だろ」とだけ言っておく。

「監禁して、ダイエットフードだけ食べさせて、どんどん痩せさせる。そんな真似してなにが楽しいんでしょうかね。気持ちの悪い男だ」

殺さない。

ただ、痩せさせる。

そのためだけに、高いリスクを承知で女性を誘拐、監禁する――確かに、こんなことを考える奴の気が知れない。わけがわからない。だがそのわけのわからない犯罪者を追うのが、刑事の仕事なのだ。

「大学の友人いわく、被害者は当初、自らダイエットに励んでいたようです。彼氏が協力的で嬉《うれ》しいとも言っていた。さっきのネックレスも、痩せたご褒美だとか。ああ、そいつは斎藤敦《あつし》という名前を使っていたようです。もちろん偽名ですが」

「ふたりはどこで知り合ったんだい」

「SNSです」

「ネットか……」

「被害者のパソコンを調べて判明しました。何度か直接会って、次第に気を許していくようになった経緯が、メールのやりとりからも窺《うかが》えます。ダイエット話で盛り上がっていましたよ」

「そっち方面から、犯人の居所は割り出せないのかい」

「やってはいますがね。難しそうです」

鱗田は考える。斎藤と名乗った犯人は、それほど痩せた女が好きだったのだろうか。あるいは捕らえた女を、自分の理想までガリガリに痩せさせたら、そこで満足したのか。あるいは、なにかの人体実験でも行っていたのか。

「で、ダイエットフードを売っていた《油取り》は？　会いに行ったんだろ？」

鱗田の問いに、玖島は「行くには行きましたが」と眉《まゆ》を寄せる。

「事務所はすでにモヌケのカラでした。現住所も別の人間が住んでましたし。逃走しているということは、やはり青目はなにかを知っているんです」

青目甲斐児。それが《油取り》の氏名だ。

年齢は二十七歳となっているが、実のところ妖人《ようじん》の年齢はあてにできない。妖人の多くは人間と変わらない寿命なのだが、一部にかなりの長寿が発見されている。中には一度死んだことにして、別の名前で出生届を出していたなどというケースもあったのだ。いつの時代でも書類の改竄《かいざん》屋というのはいるもので、現代ではデータの改竄屋が暗躍している。年齢だの出生地だの、住民票や戸籍のデータを鵜呑《うの》みにできる時代は終わったのかもしれない。

「あっ、ウロさん。ここにいたんですか！」

溌剌《はつらつ》と現れたのは脇坂である。玖島は苦い顔をしたが、脇坂のほうは明るい表情のまま「玖島さん、お疲れ様です！」と挨拶《あいさつ》をする。自分が疎まれているのを知らないのか、あるいは知ってても気にしないのか。

「脇坂。おまえのほうこそ、昨日の午後から今までどこに行ってたんだ。直帰するなとは言わないが、ちゃんと出先くらい言っておけ」

鱗田の小言に、脇坂は素直に「すみません」と頭を下げる。今日は明るいグレーのスーツに淡いオレンジのネクタイをしていた。玖島とは別の方向性で、やっぱり刑事には見えない。

「昨日は先生のとこへ行ってたんです」

「ひとりでか？」

驚いた鱗田に「そうですよ」と頷《うなず》く。

「晩ご飯にマカロニグラタンをご馳走《ちそう》になりました！　それから、先生いわくやはり《油取り》という妖人は存在しないそうです」

「マカロニグラタンだと？」

「《油取り》がいないだと？」

鱗田と玖島はそれぞれ違う部分に反応しつつも、同時に声を上げた。脇坂はどっちに返事をしたらいいものか、つかのまきょとんとしていたが、どちらへの答も同じでいいと気がついたらしく笑いながら「はい！」と頷く。

「あ、いや。グラタンはあとでいい。先生が言ったのか《油取り》はいないって」

鱗田が改めて聞くと「実在する可能性はきわめて低いそうです」と答える。

「人攫《さら》いへの恐怖が生み出した妖怪だろうと仰ってましたよ」

待て、と玖島が椅子から立ち上がった。

「また例の怪しい茶道家の意見だろう。奴の探偵ごっこには困ってるんだ。いくら鱗田さんが信頼してても、こっちはそいつの話を鵜呑みにはできない」

「どうしてですか？　先生はとても理路整然とした方なのに」

「ぺらぺら喋《しゃべ》って人を煙《けむ》に巻く男が信用できるものか。それに、奴は基本的に妖人擁護の立場だぞ。今回のように妖人が容疑者になり得る事件に関わらせるのは反対だ」

捜査一課の中では最も理屈っぽい玖島が言う。いわゆる同族嫌悪なのかもしれんなあ、と鱗田は思った。

「どっちにしろ、《油取り》本人に確かめるのが一番いいと思うんですよね。あなたは本当に《油取り》なんですかって」

お気楽な調子で言う脇坂に、玖島が「それができれば苦労しない」と苛立《いらだ》つ。

「青目甲斐児は消えた。今足取りを追っているが……」

「え。いますよ？」

「……なんだと？」

玖島は顎《あご》を突き出し、剣呑《けんのん》な顔で脇坂との距離を詰めた。

「というか、いるはずです。これから会いにいくつもりだし」

「おい。いったいどういうことだ？　脇坂、なに勝手に動いてる」

鱗田もこれにはムッとして詰問した。

新入りのくせに、勝手な単独行動を取られては困る。なにかあったときに責任を問われるのは鱗田なのだ。

「いえ、僕はなにもしてないんです。ただ先生が」

「胡散《うさん》臭い茶道家がどうしたというんだ」

玖島が早口になってますます詰めより、脇坂が軽く身体を仰《の》け反らせたそのとき——。

「胡散臭くて悪かったですねえ」

聞き覚えのある声に、慌てて振り向く。

会議室の入り口に洗足伊織が立っていた。口元には例の冷ややかな微笑みを浮かべている。鱗田が慌てたのは言うまでもない。慌てるあまり、椅子から立ち上がった拍子に資料を何枚か落としてしまったほどだ。その中には痛々しい姿の遺体写真もあり、洗足は隻眼でちらりと眺めてまたすぐ視線を正面に戻す。

今日もやはり和装である。銀ねずの着物に羽織り、縞《しま》の角帯を締めて黒の半襟が覗《のぞ》いている。普通、和装はある程度体格がよくないと似合わない。男の着物は少しくらい腹が出ているくらいのほうが、どっしりして様になるのである。その点でいえば、この男はひょろりとした着崩れしやすい体型のはずなのだが、実にしっくりと馴染《なじ》んでいる。

「たった今、下でお会いしたので、お連れしました」

脇坂はあくまで明るく言う。お連れするのはいいが、なぜその前に一報入れないのかという説教は、とりあえずあとだ。

「先生。どうなすったんです、珍しい」

洗足が自ら警察に出向くなど、久しぶりのことだ。以前、ある事件で協力を求められ警視庁に呼びつけられた。そのときの担当刑事の横柄な態度が気に食わず、以来絶対にここへは足を踏み入れなくなった。聞きたいことがあればそっちから来い、ただし会うかどうかはわからない……そういうスタンスである。

「ど……どうも、ご無沙汰《ぶさた》しています」

で、その担当刑事が玖島だったわけだ。

気まずそうに頭を下げる玖島を見た洗足は怖い微笑みをキープしたまま「おやおや」と後ろで手を組んだ。

「どこかで見た顔だと思ったら玖島さんじゃないですか。すみませんねえ、胡散臭い茶道家が重要事件の捜査本部にお邪魔しちゃって」

「いえ……」

「もしかしたら捜査にご協力できるかと思ったんですが、余計なお世話のようでしたね。脇坂くん、あたしはやっぱり帰ることにしようかなあ」

後半、わざとらしい溜息《ためいき》混じりに言う。

「えっ。先生、そんなっ」

資料を抱えたまま脇坂が焦る。

「だめですよ、先生がいないと《油取り》……じゃなくて青目さんに会えない」

「会えないでしょうね。でも、お邪魔みたいだし」

「そんなことないですっ。玖島さんっ」

脇坂が責める目つきで玖島を見た。玖島は口を歪《いびつ》に曲げながらも「申しわけありませんでした」と謝罪する。洗足は帯に挿していた扇子をパチリと少しだけ広げ、口元を隠したままそっぽを向いて反応しない。脇坂がもう一度玖島の脇をつつき、催促する。玖島は、なんでおまえにという顔をしたが、捜査のためと割り切ったのだろう、「本当にすみません」と繰り返す。

「青目の情報をいただきたいんです。被害者とその家族のためにも、お願いします」

より低く頭を下げた玖島を横目で見て、洗足は「そうですか？」と再び扇子を鳴らす。

「そこまで仰るなら、ご協力しましょうか」

いささか意地の悪い洗足を見ながら、鱗田は「しかし先生」と口を開いた。

「青目は現在逃走中で、捜査員が必死に捜しているところです。なぜ先生が居場所をご存じなんです？」

「逃走中？」

そうです、と鱗田は頷く。

「事務所はからっぽ、自宅のはずのマンションには別人が住んでいたそうです」

「ああ。それは職を変えて引っ越したんじゃないですかね」

「引っ越し？」

玖島が疑うような声を出す。

「そうですよ。引っ越しがそんなに珍しいですか、玖島さん」

「いや……しかしこのタイミングで引っ越すというのは」

「このタイミングって、どのタイミングですか。青目はね、年がら年中、居場所や職を変える男なんです。もともと妖人《ようじん》には風来坊気質《かたぎ》が多いようですが、あいつの場合、別の事情もある」

洗足は机に近づき、資料の中から一枚の写真をするりと取り出した。妖人台帳に添付されている青目甲斐児の顔写真である。玖島は文句を言いたそうな顔をしたが、ぐっと我慢している様子だ。

「おやおや。ずいぶん修正の入った写真だねえ」

一瞥《いちべつ》して、ひらりと写真を机に戻す。脇坂が同じ写真を手にして「これって修正されてるんですか？」と聞いた。

「そういえば、男前です。目をぱっちり二重にしたり、顎のラインを整えたりしてるのかな」

「逆」

短く洗足が答える。脇坂が「え？」と洗足を見ると、扇子を帯に挟みながら「会えばわかりますよ」とだけ返した。黒い足袋《たび》に草履の足もとがくるりと向きを変える。

「先生？」

「会いたいんでしょう？　青目に。ついてきなさい」

そう行って部屋を出て行く。

鱗田と脇坂はすぐに洗足について行ったが、玖島は資料を出しっぱなしというわけにもいかない。「待ってください」と焦る刑事に、鱗田は「連絡を入れるから」と振り返って声をかけた。眼鏡がずり下がり、なんとも情けない顔になっている玖島が少しばかり不憫《ふびん》な気もした。

脇坂にはひとつだけ優れた点がある。

いや、ひとつだけかどうかはまだわからないが、とにかく少なくともひとつは美点があるのだ。それは運転の巧《うま》さだった。Y対には古い型のボロセダンが一台貸与されているのだが、初めて脇坂の運転でそのセダンに乗ったとき、鱗田は軽い驚きに見舞われた。運転が巧いといっても、すごいスピードが出せるだとか、少しの車間も見逃さずに割り込んでいくとか、そちらの方面ではない。誰が運転しても、ガタガタと乗り心地の悪いセダンが、滑らかに動くのだ。

なぜか。脇坂のブレーキングが巧みだからだ。三半規管が弱く、乗り物酔いしやすい鱗田にとって、これは評価に値する。なんでも、姉のひとりが乗り物酔いしやすく、揺れない運転を強要され続けた賜物らしい。

そんな脇坂が運転する車は、新宿の歌舞伎町に向かっていた。

後部座席には鱗田と洗足が乗っている。

「先生は青目甲斐児と面識がおありなんですね？」

あれこれと詮索《せんさく》されることを嫌う洗足だが、さすがにここは聞かないわけにはいかない。鱗田の問いに洗足はすんなりと頷《うなず》き「腐れ縁ですよ」と答えた。

「最初に言っておきますがね、ウロさん。青目が犯人だという可能性はきわめて低い」

「はあ。理由を聞かせてもらえますか」

「奴はねえ、女好きなんです」

「僕も女の子好きです！　男友達といるより、女の子たちと一緒のほうが楽しいんですよねえ。話も合うし」

運転席から脇坂が叫ぶ。鱗田はしばし脱力し「いいから、おまえは運転してな」と空気の読めない後輩を諭してから、再び洗足を見る。

「先生、もう少し詳しく頼みますよ。俺たちも、先生のご友人を疑いたくはないんです」

すると洗足は頬を歪《ゆが》めて「友人？　冗談じゃない」と全否定の勢いだ。

「違うんですか」

「腐れ縁と言ったでしょうが。向こうが気まぐれにやって来ちゃ、茶を飲ませろとうるさいだけです。……昨晩もそうだった」

「昨晩？　ってことは、脇坂も会ってるんですか？」

いいえ、という答が二方向から同時に返される。

「青目が来たのは脇坂くんが図々《ずうずう》しくもあたしのぶんの夕飯を食らって、帰ってから」

「グラタン、美味《おい》しかったです！」

「脇坂、いいから運転してろ。それじゃ、かなり遅い時間の来訪ですな」

そうだね、と洗足が答える。顔の左半分が長い前髪で隠されているため目の表情は窺《うかが》えない。

洗足の左目は上下の瞼《まぶた》を縫いつけてある。

鱗田も最初に見たときはぎょっとした。もとが美貌《びぼう》なだけに、引き攣《つ》れた左目が露出したときの驚きが大きいのだ。思わず「それはどうしたんですか」と聞いた鱗田に、洗足は淡々と「縫われたんですよ」とだけ答えた。誰にだとか、なぜだとか、そういう質問は憚《はばか》られて、いまだに聞いていない。

「昨日は『子《ね》の茶会』だったんですよ。青目が来たのは、二時を回った頃ですかね」

「ねのちゃかい？」

ステアリングをきりながら脇坂が聞く。

「深夜の茶会。妖琦庵で月に一度やるんです」

「へえ。なんだかムーディーでいいなあ。僕も今度お邪魔していいですか」

「お断りです。妖琦庵は原則、妖人のための茶室です。絶対に人間を招かないとは言いませんが、きみが敷居を跨《また》ぐなんて百年早い」

「先生、このお喋《しゃべ》り男のことはいいですから。で、その茶会に青目が来たんですね？」

「来ました。二か月か三か月おきくらいに来るんですよ。あたしのお薄を飲みにね」

お喋り男と言われた脇坂は「もー。ひどいなあ」と愚痴ったが、たいして傷ついてもいない口調である。運転が巧い他にも脇坂の美点は、打たれ強いことだろう。いや、だからこそ空気を読めないという悪循環なのか。

「茶を飲みながら、つい最近仕事を変えたと話していました。どうやら女性とのトラブルがあったようですね。そのせいで、住まいも引っ越したと」

「女性とのトラブルというと、恋愛沙汰《ざた》ですかね」

「あの男は恋愛なんかしませんよ。……ただ、女を食い散らかすだけです」

「それはいけません。トラブルになるに決まっています！　ねえウロさん？」

新入りの問いかけは無視し、鱗田は続けて洗足に聞いた。

「先生は青目を《油取り》ではないと？」

「《油取り》は妖怪です。架空の存在であって、妖人ではない。従って、青目が《油取り》であるはずもないでしょう？」

「では青目甲斐児の妖人属性は何になるんでしょうか」

「さあね。それはあたしの語るところではない」

知らないから言わないのか、知っていても言わないのか。鱗田は洗足の顔色を読もうとしたが、無駄だった。皮肉な笑みと毒舌の下で、本当はなにを考えているのか——刑事として長年いろいろな人間を見てきた鱗田にも、洗足伊織とはいまだよくわからない男なのである。

区役所の近くに車を停め、三人は歌舞伎町の中へ入っていく。午前中の歓楽街は、独特の気怠《けだる》さを見せていた。和装姿の洗足は目立つが、この街の住人たちは気に留めない。洗足の歩き方にはぶれがなかった。背骨が美しくスッと立っており、腰が据わっていて、足さばきは軽い。鱗田はよく知らないが、能役者などはこんな歩き方をするのではないだろうか。

三人は、間口の狭い雑居ビルの前で止まる。

一階はバーらしい。『roost』という看板の下に、会員制というフダが貼り付けてあり、古めかしいブザーのボタンがあった。当然ながら昼前のこの時間帯に営業しているはずもなく、扉には鍵《かぎ》がかかっている。

洗足がブザーを鳴らす。ビーという低い音が鱗田にも聞こえた。室内では相当の大音響になっているのではないか。しかも、洗足はボタンから指を離さない。つまり、ビィ————————といった具合で、ずっと鳴らしっぱなしなのである。一歩後ろに立っていた鱗田の横で、脇坂が「こんなセールスマンがいたらヤですよね」と呟《つぶや》いている。

鱗田も同意だが、黙っておく。

『……うるせえ』

インターホンで相手が答えた。不機嫌そうにくぐもった声だ。

「開けろ」

名のりもせずに洗足が言う。だが相手はすぐに来訪者を理解したようだ。『ちょっと待て』とだけ言ってインターホンが切れる。

二分ほど待っただろうか。『roost』の扉が開き、背の高い半裸の男が「入んな」と言った。起き抜けらしく、髪がぼさぼさな上、俯《うつむ》き気味なので顔がよく見えない。上半身はなにも身につけておらず、ウエストに紐《ひも》のあるルーズパンツをはいていた。洗足のほかに、鱗田と脇坂がいることをまったく気にしていない様子だ。

最後に入った脇坂が扉を閉めると、窓のない店内は薄暗い。

カウンターだけのごく小さなバーだ。目で数えると席は十席。トイレであろうドアがひとつ見える。カウンター奥には水回りのスペースと、おそらくは二階へ続く階段があるはずだ。男はカウンターの中に入り、ペットボトルの水を飲みながら「さっき寝たんだぜ？」とぼやく。腕を伸ばしてあくびをすると、見事な胸板が蠢《うごめ》いた。文句をつけているわりに、口調はさほど迷惑そうではない。むしろ洗足の来訪を面白がっているようにも感じる。

「あたしだってほとんど徹夜だよ。明け方近くまで点前《てまえ》してたんだから」

洗足は抑揚なく答える。いつもの冷たい笑みは浮かんでおらず、ただ男をじっと見据えていた。

「おまえの茶に惚《ほ》れ込んでる妖人《ようじん》が多いってこった。で、このふたりはなんなんだ？」

「刑事」

「あー。やっぱりそうか。まあ、座れよ三人とも。ウチ特製の、水道水で薄めたウーロン茶をご馳走《ちそう》してやる」

「はい。では失礼します！」

薄闇のバーに似合わない声を立てて、最初に脇坂が座った。だが洗足は「長居する気はないよ」と立ったままだ。鱗田は洗足に倣ったが、脇坂は真面目な顔で座ったままである。馬鹿なのか大物なのか、よくわからない。

「青目」

洗足が男を呼んだ。男の口の端が引き上がり「なんだ、伊織」と返す。洗足を下の名前で呼び捨てる者を、鱗田は初めて見た。

「ここはもっと明るくならないのか」

「バーってのは薄暗いもんさ。……だがまあ、無理じゃない」

長い腕が壁に触れた。パチリと音がして、カウンター内の照明が点《とも》る。

うお、と脇坂が間抜けな声を発した。古くさくたびれた雰囲気のカウンターの中、酒瓶に囲まれて立っている男がものすごい色男だったからである。

強い眉《まゆ》の下、くっきりとした二重まぶた。高い鼻や厚い唇、日本人にしては濃い肌色から察して、ラテン系の血が混じっているのだろうか。洗足のような清楚《せいそ》に整った顔とは正反対のタイプだ。信頼感や安心感とも無縁である。どちらかといえば、近づくと危険。でも近づかずにはいられない。そんな香りのする容貌《ようぼう》と、加えて、見事な筋肉質の身体……これは女が、

「すごい。こりゃ女の子がほっときませんよね！」

鱗田の内心を脇坂が口にする。青目はにやりと笑って「そのとおり」と頷《うなず》く。そしていきなりルーズパンツのウエストをぐいと下げる。下着はつけていないらしく、臍《へそ》下にはえた陰毛が見えた。洗足は不愉快そうに顔を背けたが、鱗田は視線をはずさない。青目が見せたかったものがなんなのかすぐに目に飛び込んできたからだ。

「あれ、どうしたんですか、それ」

脇坂も気がついたらしい。青目の右腰骨の上あたりにある大きな絆創膏《ばんそうこう》を指さす。

「女に刺されたんだよ。ま、擦《かす》っただけだけど」

ルーズパンツの位置を戻し、青目は淫靡《いんび》に笑って「現場に踏み込まれちまって」とつけ足した。

「もしかして、浮気現場ですか？」

「浮気もなにも、俺に本気はないからなあ。……でもまあ、一応言って欲しそうな子には『おまえだけだよ』って言うわけだ。マナーとして」

そうか、マナーなのかあ、と脇坂が変な感心をしている。

「ちょっと思い込みの激しい子でね。韓国の子とフィリピンの子と俺とで、身体を使った国際会議をしていたところに踏み込んできて、『嘘つきっ』て刺されたわけだ」

逆上した女性は、ダイエットフードの販売をしていたときの客だったと言う。そのあともストーカーじみた行為が続き、閉口した青目は雇われ店長だったダイエットフードの販売店を畳み、自宅も転居したというわけだ。

「それは災難でしたね」

真顔の脇坂に「慣れてるから」と青目が返す。この場合災難だったのは騙《だま》された女性のほうという気もするが、まあ、いずれにしても刃物を振り回すのはいただけない。

「この男はいつもこんなことを繰り返してるんですよ」

洗足が呆《あき》れた口調で言った。なるほど、それで職も住所も定まらないというわけか。

その点は理解できたが、鱗田にはまだ聞きたいことがあった。

「青目さん。おたくは妖人台帳で《油取り》と登録されてるんですがね。こちらの先生は、《油取り》なんて妖人はいないと仰るんですよ」

へえ、と青目は淡泊な反応をする。カウンターの端に置いてあった黒いシャツを羽織りながら、「いないのか。ふうん」と他人ごとのように頷いた。

「まあ、伊織がいないって言うんなら、いないんだろう」

「適当な属性を申告したということなんですかね」

「なんかしら書いといたほうがカッコがつくと思ってな。だとしたら、女からいろいろ搾り取らずにはいられない俺に《油取り》はぴったりだ」

シャツのボタンも留めず、カウンター下の冷蔵庫を開ける。ウーロン茶のペットボトルを出して、三つのグラスに注いだ。確かに色が薄いような気もする。

「刑事さんだって、知ってるだろう？　自分の属性をわかっている奴らばかりじゃない。なにしろ、数年前までは『妖人』だってことすら知らなかったんだ。そりゃ、妙に泳ぎがうまけりゃ《河童《かっぱ》》かもなって見当もつくだろう。伊織ンとこの《小豆《あずき》とぎ》もわかりやすいよな。でも俺はとりたてて特徴がないんだよ。女好きってこと以外は」

「女好きは人間にも多いですもんねえ」

頷きながら脇坂がウーロン茶を飲み「薄ッ」と驚いている。

「刑事さん。あんたたち、俺を女子大生監禁殺人の犯人だと思って、ここまで来たんだろ。ネットの噂に振り回されてさ」

「それだけじゃないんですよ。おたくの前職も関係してる」

「ダイエット食のことか？　なに、あの子、うちのお客さんだったわけ？」

「その可能性が高いんです。お手数ですが、我々と一緒に来て……」

「任意同行ならしないぜ」

煙草を咥《くわ》え、青目が薄笑いを浮かべた。

「これでも店を任されてて忙しいんだ。身に覚えのない事件の犯人扱いはごめんだ。で、いつのアリバイが欲しいんだ？　要するに俺の嫌疑が晴れりゃいいんだろ」

鱗田は手帖《てちょう》を取り出し、武藤朱理の死亡推定時刻から前後三日間の日にちを告げた。

青目は自分の携帯電話を取りだし、すべての日付の昼間は仕事をしていて、事務を任せていたパートタイマーがそれを証明してくれるだろうと言った。

「あとは夜だよな。えーと、こっちはちょっと多いから、裏を取るのが面倒だぞ。その週の月曜は六本木のクラブ『ラヴァーズ』で働いてるエミリ。火曜と水曜はOLのマリナ。木曜がナナコ……彼女、人妻だから配慮してくれ？　金曜は二丁目のアイで、これは元男だけど今は女だ。土曜はリンダだな。全員のケーバンを教えてやるよ」

手帖に書くのがとても追いつかない。鱗田は脇坂に「おい、頼む」と指示して、女たちの連絡先をすべて記録させた。これだけ毎日とっかえひっかえしていて、よく疲れないものだなと、ある意味感心してしまう。鱗田も若い頃はいろいろあったが、ひとりの女とつき合うだけでも翻弄《ほんろう》されて大変だった。

脇坂は続けて、青目に被害者の写真を見せる。ピースサインの朱理をじっくりと見て、青目は「悪くない」と薄笑いを浮かべる。

「わりと可愛いじゃないか。これなら、会ってれば覚えてるし、うまくいきゃヤッてる。まあ、正直、ヤッたあと半年もたちゃ顔なんざ忘れちまうけどな」

「それはひどいですよ。せめて一年は覚えてましょうよ」

「半年も一年も変わらないだろ」

青目が脇坂に写真を返す。

「さて、他に聞きたいことがないなら、俺はもう一度ベッドに戻りたいんだけど。……可愛い子ちゃんも待たせてるし」

親指で天井を示して言う。どうやらここの二階が住居になっており、やっぱり昨晩も誰かと過ごしたらしい。

「後ろめたいことはなにもないからな。逃げやしないぜ。刃物振り回す女が来るまでは、ここで雇われバーテンしてるよ」

鱗田は青目の協力に礼を言い、脇坂も立ち上がる。一番出入り口の近くにいた洗足が扉を開けた。店内に比べて強い光が差し込み、鱗田は目を瞬かせる。

「ところで伊織」

青目が洗足を呼んだ。洗足はその場から動かず、首だけを捻《ひね》って振り返る。さらりと前髪が揺れて、縫われた左目が一瞬だけ見えた。

「おまえ、いつから警察の犬になった？」

辛辣《しんらつ》な言葉にも、洗足の表情は変わらない。犬は明らかに言いすぎだが、鱗田も不思議には思っていたのだ。これまで、洗足伊織が自ら捜査に協力してくれたことはない。こちらがさんざん頭を下げまくって、やっといくつかの情報を与えてもらう程度だった。なのになぜ今回は、わざわざ自分から警察まで出向く気になったのだろう。

「犬になったつもりはない」

洗足ははっきりと答えた。

「あたしはただ、《油取り》に関する誤解を解きたかっただけです。この人たちが間違った知識に基づいて捜査をしていても、真実は遠くなるばかりだ」

冷静な返答に、青目は薄ら笑いを浮かべた。

「そうか？　なら仮に《油取り》が実在して、俺が犯人だったとしたら？　それでもおまえは、この場所を警察に教えたんじゃないのか」

「当然です。殺人者が街をうろうろしているのは、あたしだってごめんだ」

「友達を売るのかよ」

「友達？　誰が？」

とりつく島もない言葉に、青目は白い煙を吐きながらクックッと笑う。

「冷たいな。長い付き合いなのに」

「ウロさん、行きましょう」

店を出ようとする洗足を「待て」となおも青目が引き留める。

「伊織。おまえはこれからも警察の犬を続ける気か？　妖人《ようじん》レーダーみたいに、使われ続ける気なのか。人間に妖人を売って、生きていくわけか」

洗足は返事をしない。そのまま店を出て、すぐに歩き始める。鱗田と脇坂も後に続き、脇坂は青目が気になるらしく、何度か振り返る。

「そんなに人間になりたいか、伊織」

店から聞こえてきた声に、洗足が僅《わず》かに眉《まゆ》を寄せた。

洗足はどんどん歩く。和服でもこんなに速く歩けるものなのかと思うほどの勢いで歩く。勢い余って、停めてあった車を通過してまで歩いていく。かなり憤っている様子だ。こんな洗足を見るのは初めてで、鱗田は困惑してしまう。

「先生？」

股下《またした》の長さが違うので、鱗田は小走りしないと追いつけない。大通りに抜ける一歩手前で洗足はやっと立ち止まった。

「……悪いか」

小さく、吐き捨てるように呟《つぶや》く。え、と鱗田が聞くと絞り出すような声で、

「人間になりたいと思うのは、そんなに悪いことですかね？」

そんなふうに聞く。鱗田は答えられなかった。

妖人と、人間。とても似ていて、同じではないふたつの生き物。

鱗田は人間だ。警察官は全員妖人DNA検査を義務づけられたので判明している。脇坂も同様に人間である。検査直後の騒動は、いまだによく覚えている。警察官の中にも数パーセントの妖人が存在したからだ。妖人と判明した者はみな茫然《ぼうぜん》自失となり、しばらくすると補償金を受け取って退職するケースが多かった。退職を強制されたわけではないが、あいつは妖人だという視線にいたたまれなかったのだろう。

同じ頃、妖人保護法が制定された。保護法とはいうものの、それは妖人の権利を限定する法律でもあった。

妖人は国家公務員I種の受験資格を持たない。

妖人は義務教育の教員にはなれない。

妖人に被選挙権はない。

差別だ、と叫ぶ人もいた。いや、今でもいるが少数派だ。妖人と人間は同等にすべきという意見が当初はそれなりにあった。だが、四年半前の連続殺人事件以降、世間の風向きは大きく変わってしまった。法務省は収容されている受刑者たちのDNA鑑定を行った。妖人の比率は十二パーセントだった。市井の妖人比率が三〜五パーセントと言われているので、倍以上だ。

人々は妖人を恐れるようになった。妖人は人間より犯罪を起こす確率が高いのだと、思い込んだ。だが受刑者の数字にはトリックがある。殺人や強盗などの凶悪犯罪に限っていえば、妖人の比率は決して高くなかった。無銭飲食や万引きなど、軽微な犯罪の比率が高いのだ。これは妖人の中に、流浪する傾向の者が多いことと関連しているのだろう。軽い犯罪ならばいいというわけではないが、少なくとも、妖人を見ただけで人殺しを連想するのは極端すぎる。

同時に、スポーツ界、アート業界など、特別な能力を持った人たちに妖人が多いこともスクープされた。

自分が妖人であることをカミングアウトして、ますます人気を博したミュージシャンもいる。心酔するファンの多くは若者で、その親の世代は不気味がる。妖人だから、特殊なのだと思い込む。あの連中は我々とは違うのだと。

自分と違う――それは人間にとって恐怖の源泉になり得る。

他者はなにを考えているのかわからない。だから他人が怖い。他国民が怖い。他民族が怖い。言語の違い、肌の色の違い、文化の違い。それらは時に平和に交流し、多くの益を生み出すが、争いの元にもなる。歴史がそれを証明している。

人間は妖人が怖いのだ。自分たちとは違うのだと知ってしまったから。

輪郭の曖昧《あいまい》な、ぼんやりとした恐怖は差別を生む。

差別を無くすことがなぜ難しいのか。それはたぶん「怖がるな」と言い聞かせるのが難しいのに似ているのではないか。わかっていても、怖いということはままある。作り物のお化け屋敷だって怖いし、作り話の怪談ですら耐え難い人もいる。理屈ではどうしようもない恐怖を抱えながら、人間は生きているのだ。「恐れるべきではない」という強い意志や理性が打ち勝ったとき、人は差別する業から解放されるのかもしれないが、言うは易く行うは難しである。

鱗田だって、差別される立場に立ちたくはない。自分が妖人ではないとわかったときは、正直安堵《あんど》した。

やがて洗足は自分を落ち着かせるように角帯を軽く叩《たた》くと、黙って車へと戻った。

車は再び脇坂の運転で発進する。しばらくすると、洗足が「ウロさん」と呼んだ。もういつもの淡々とした口調に戻っている。

「妖人判定審査会の【特例】については知ってますか」

「えっ。知りません。それはなんですか？」

鱗田より先に口を開いたのは脇坂だ。鱗田は溜息《ためいき》とともに「おまえは聞かれてないだろうが」と新人を窘《たしな》め、そのあとで洗足に「噂には聞いてますよ」と答える。

「あくまで【特例】であり、非公開の制度ですからね。脇坂くんもＹ対にいるなら知っていていいでしょう。ただし、よそでは口にしないように。きみのコネがどれだけ強いか知りませんけど、それでも僻地《へきち》に飛ばされかねませんよ」

「うわあ、気をつけます」

車の中が少し蒸し暑い。脇坂が冷房をつけ、洗足は扇子を手にした。だがまだ広げず、手のひらにパシンと当てて、語り始める。

「【特例】というのは【特例妖人】の略です。妖人ＤＮＡを持ち、つまり生物学的には妖人だけれど、社会的には人間として生活している存在」

「んん？」

脇坂は運転しながら首を傾げる。

「えーと、その場合、権利はどうなるんですか？　人間と同じ権利を持つ？」

「そうです。身分証に妖人マークが押されることもない。職種の限定もない」

「ってことは、周りの人間は、その【特例】のことを人間だと思っているわけですかね」

鱗田が聞くと「本人が告白しないかぎり、そうなりますね」と洗足は答えた。

「今まで【特例】として認められたのはほんの少数です。ほとんどが政府高官であとは一部の医師や科学者らしい。つまり、お上のほうが『こいつは人間にしといたほうが、自分たちに利益がある』と判断した対象というわけです。ご都合主義も甚だしいので、一般には知らされていないわけですよ」

それを踏まえた上で……とつけ足し、洗足は懐から一枚の書類を取り出し鱗田に渡す。

「この書類を見てください。法務省から届いたものです」

「拝見」

鱗田は畳まれた書類を開く。洗足の着物に焚《た》きしめられた香の薫りがふわりと広がった。法務省刑事局からの通達である。文面を一読して、鱗田は「こりゃあ……」と言いかけ、続く言葉を失った。

「なになに、なんですか。読んでくださいよウロさん」

脇坂がうるさいので、音読してやった。

「――貴殿の妖人判定能力については、信頼に値する精度であるという報告を警察庁より受けており、当局としましてはその能力を事件捜査に生かしていただけることを期待しております。ご協力いただける場合、貴殿の妖人判定において、人権擁護局妖人審査部門へ特例妖人扱いとする働きかけをすることも可能であり……」

「ん？　つまり、先生が捜査の手伝いをすれば、その【特例】にしてあげるよ、という意味なんですか？」

「約束はしてないぞ。働きかけも可能……役所がこういう言い方をする場合は怪しい」

「ウロさんの言うとおり。とても中途半端な文面です」

鱗田が書類を返すと、洗足はそれを扇子でペシペシと叩く。

「だが、情けないことにあたしは揺れてるんですよ。生物学的にヒトとなることは無理だとしても、社会的に人と認められたいという思いがある。妖人《ようじん》のくせに、人間になりたがっている……だからこそ、青目に警察の犬呼ばわりされたときにカチンと来たんでしょう」

妖人であるかどうかがひと目でわかる能力。それを持っている洗足が、【特例】と認定されるために、刑事事件の捜査協力をする。それは妖人たちから見れば、嬉《うれ》しい話ではないだろう。だからこそ、青目はあのような態度を取ったわけだ。

「ことに、『妖人だということを隠している人間』たちにとって、あたしの存在はさぞ煙たいだろうね」

「あ、そうか。ばれちゃうんですもんね」

「まだありますよ。『自分が妖人であることを知りたくない』という人間にとっても、あたしの目は迷惑だ」

「あー、あー、はい。かなりいますよね、知りたくない人」

妖人の存在が確認された以上、全国民の遺伝子検査を義務化すべきだという声はずいぶん前から上がっている。だが世論が激しい拒否反応を示し、法案がなかなか国会を通らない。

「先生はやっぱり、妖人はいやなんですか？　人間のほうがいいですか？」

デリケートな質問を、遠慮なくぶつけるのが脇坂である。鱗田は「すみません」と洗足に謝ったが、扇子の先で顎《あご》をかきながら「かまいませんよ、べつに」と返された。

「慣れてきました。悪意のある利口者より、悪意のない馬鹿のほうがましでしょう」

「あっ、僕いま褒められました？」

「ほら、この恐ろしいまでの前向きさもすごい。世の中こんな人間ばかりだったら、戦争は起きないでしょうねえ。あたしはこんな馬鹿ばかりの世界には住みたかないけど」

「いやあ、そんなに褒められると照れます」

「脇坂。いいから、運転に専念しろ」

そうは言った鱗田だが、内心は少し驚いていたのだ。少なくとも、この洗足に「慣れました」などと言わせた新人はやはり脇坂が初めてだ。

「──妖人だろうが、人間だろうが、あたしはどっちだっていいんですがね」

ぽん、と扇子を広げて洗足が言う。

「母親の遺言なんですよ。人間として暮らしなさいと、言い残して死んだ」

これは鱗田も初耳だ。

洗足の家族についてはあまり知らないが、妖人だったと思《おぼ》しき母親が鬼籍に入っていることだけは、家令の夷から聞いていた。

「そのほうが、幸せだからってね」

どこかしんみりした声に聞こえたのは、気のせいなのだろうか。歳のせいか、この手の話には弱い。また、とても合点がいった気分でもある。それなりに洗足の人となりを知っているつもりの鱗田は、妙なひっかかりを感じていたのだ。

洗足は自由に生きている人である。世間の流れにはとんと関心がなく、これといった欲もなく、静かにお茶を点《た》てながら、ごく簡素な生活を送っている。その洗足が、妖人だの人間だの、そういった区別に固執することが少し不思議だったのだ。

だが、亡き母の遺言と聞けば納得できる。

恐ろしく口の悪い洗足ではあるが、根っこの部分は情に厚い。行くあてをなくした《小豆とぎ《あずき》》のマメを引き取ったときから、鱗田にはわかっていた。行き倒れ寸前だったマメを見つけ、保護したのが鱗田なのだ。

「……う。ぐす……ぐすす……っ」

運転席から聞こえて来た嗚咽《おえつ》に、鱗田は驚く。

前のめりになって確認すると、脇坂が涙をボロボロ零《こぼ》して「いいおがあさんでず〜」と泣いている。鼻水がたらりと垂れて、左手でゴシゴシと擦《こす》っていた。運転中なのでティッシュが探せないのだ。

洗足を見ると、呆《あき》れたような、うっとうしいような、でも少しだけ嬉しいような複雑な表情を見せている。ぐずぐずと泣き続ける脇坂に溜息をつき、

「ウロさん。なんでこんなの雇ったんです」

などと聞く。そう言われても、採用したのは鱗田ではないので困る。

「ほら。泣いてないでちゃんと運転しなさい。あたしはあんたたちと交通事故死なんてご免ですよ。そんなの死んでも死にきれやしない」

洗足は草履の先で軽く運転席の背を蹴《け》る。まだ泣いている新人刑事が「わがりまじだ」とみっともない鼻声で答える。

鱗田は仕方なく、ポケットティッシュを脇坂に渡してやったのだった。

※

父は大きな会社の役員だった。具体的にどんな仕事をしていたのかは知らない。ほとんど家に帰らない人だったので、会話の機会は極端に少なかったのだ。母はいつも「お仕事が忙しいからよ」と言っていて、幼かった私もそれで納得していたが、よくよく考えてみればおかしい。長期の海外出張があったわけでもなさそうなのに、年に数度しか帰らないのは変だ。要するに別宅があったのだろうと、大人になってから気がついた。

一度だけ、母が留守のときに、父は知らない女の人を連れてきた。ほっそりした背の高い人で、私に気がつくと頭を撫《な》でてくれた。美人だったし、母より若かった。父とどういう関係だったのかはわからない。べつに父のことはどうでもいい。私に父親は必要なかった。母がいればそれでよかった。

私が小学四年生になった頃、母はあまり外出しなくなった。家にはいるが、部屋からほとんど出てこない。保護者に渡さなければならない書類などは、ドアの下の隙間から差し込んでおいた。すると、翌朝ダイニングのテーブルに、必要事項が書き込まれて戻してあった。同じ頃、家政婦が来なくなった。辞めたのか、辞めさせられたのか。私はやや神経質なくらい清潔好きな子供だったので、ひとりでもきちんと風呂《ふろ》に入り、身支度をした。最新式の洗濯機は乾燥までをこなしてくれたし、掃除機だって扱えた。

ただ、困ったのは食事だ。給食があったにしろ、夜になれば腹が減る。私は料理ができなかったし、できたとしても材料がない。買い物をしてくれる家政婦がいなくなって一週間で米は尽きてしまった。レトルトやインスタント食品も、二週間もすればなくなってしまう。現金がないので買い物ができない。私がそのことを母に訴えると、ドアの隙間から五千円札が一枚出て来た。

私はそれを握りしめて近所のスーパーに行った。なにを買ったのか、いまだによく覚えている。それくらい腹が減っていた。サンドイッチやおにぎりなども買ったが、日持ちするものも必要だと思った。次に母からお金をもらえるのがいつになるのかわからないからだ。長持ちしそうなパン類に、ハムの塊をふたつ買った。ハムなら切るだけで食べられる。チーズも買った。子供の頃の私はあまり好きではなかったチーズだが、そのときはとても食べたいと思ったのだ。身体が良質なタンパク質を要求していたのだろうか。野菜は大切だと学校で言われていたので、野菜ジュースも買った。大好きな牛乳も忘れなかった。甘そうなお菓子もこのときには我慢できず買ってしまった。

大きな袋ふたつぶんになった食料を抱え、その日はひさしぶりにお腹いっぱいに食べた。食べ過ぎて、リビングのソファで眠ってしまった私は、夜中にふと目が醒《さ》めた。

キッチンから物音がする。暗い中で、ひと区画だけが妙に明るい。冷蔵庫の灯《あか》りだ。

私はそこで妖怪を見た。

餓鬼のようにやせ細り、髪を振り乱してハムの塊に食らいつく妖怪を見た。

※

もしもし？

うん、あたし。ごめん寝てた？

あ、そうなんだ。ユッチもなんだ。なんかさあ、あたしも眠れなくて。お葬式のときも信じられなかったんだけど、刑事さんと会ったりして、やっぱり本当なんだ、アカリは殺されちゃったんだって実感して……。怖かっただろうね、アカリ。あんまりだよ。可哀相だよ。斎藤さん……あ、これ偽名なんだよね、とにかくアカリの彼氏、優しそうに見えたのにね。ほんと怖い。

エリナも真っ青な顔してたよね。

……うん、そう。アカリが死んじゃってから、様子おかしいよね。

あのふたりさあ、微妙な仲だったじゃない？

ほら、元カレのこととかあったし。そうそう、シュンくん。ふたりとも負けず嫌いでキツイとこのある性格だから、いっつも火花散ってて、見てるあたしはビクビクでさあ。

……あ、そうなんだ。ユッチもそう思ってたんだ、やっぱり。結構気ィ遣ってたよね、あたしたち。

でも、エリナもショックだったんだね。

あの子たち、仲がいいとは言えなかったけど、似てたしさあ。気の強いとことか、男の子の趣味だとか、やたらとダイエットの話するところとか。今考えるとさ、すっごい意識しあってたよね。

シュンくんのことだって、アカリの彼氏じゃなかったら、エリナは興味示さなかったんじゃないかなあ？　現にいま、あんまりうまくいってないんでしょ？

うん……そう、話してくれたの。エリナって、わりとあたしにはいろいろ喋《しゃべ》ってくれたんだよね。アカリもそういうところあったな。悩みとか、グチとか。

え？　信頼？

えー、そういうんじゃないと思うよー。単に、喋りやすいってだけじゃないの。あたしはさあ、なんていうか……圏外みたいな。ライバルになり得ないっていうか。

……えー、安心感……？　そうなら、嬉《うれ》しいけどさあ……けどユッチだけだよ、そんなふうに言ってくれるのは……。

そういえばユッチ、あれどうだったの？

アカリがくれたダイエットフード、試したの？

へえ、そうなんだ。効果あったんだ。でも、ダイエットって続けるのが大変なんでしょ？　ユッチは無理しちゃだめだよ。ユッチ、べつに太ってないじゃん。ちょうどいいくらいだと思うよ？　アカリとエリナが細すぎるんだって。あたしなんか、あのふたりから見たら子豚ちゃんだったよね、きっと……。

やだ、いいよ、そういうフォローはいいから。そりゃふっくら系が好きな人だっているだろうけどさあ。あたしはスリム男子が好みなんだもん。

そういえばさ、例の話ってどうなった？

うん、そう。K大学との。テニス部だっけ？　あ、ボウリング愛好会？　どっちでもいいや。……うん。うん、木曜日ね。オッケ。かっこいい人いるかなあ？

エリナは行くって言ってた？

あ、行かないんだ。

ふうん……。珍しいね。いつも彼氏持ちのくせに、一番張り切ってたのに。やっぱりアカリのこと、まだショックなんだね。

で、待ち合わせ、何時だっけ？

五

「妖人《ようじん》集会！」

思わず大声を立ててしまった脇坂である。

あやうく、口の中から寒天のカケラが飛び出しそうになった。洗足の頬がぴくりと引き攣《つ》り、慌てて「あっ、すみません」と謝る。

この風変わりな茶道家を知って約ひと月、少しずつわかってきたことがある。

まず、洗足は馬鹿と蝦蛄《しゃこ》が嫌いだ。これは本人が言っていたので間違いない。それから、喧《やかま》しいのや騒がしいのも嫌いだ。脇坂が大声を出すといつも不快そうな顔をする。外出もあまり好きではなさそうだが、必要があれば出かける。反対に好きなのは読書と甘いもの、自宅で静かに過ごすことであり、中庭で苔《こけ》の観察などをしている場合もある。コケ。脇坂にはよくわからない趣味だ。地べたにべたりとへばりつき、花も咲かない植物のなにが楽しいのだろうか。

そしてもうひとつ、洗足のお気に入りはマメである。

「脇坂さん、妖人集会に興味があるんですか？」

冷たい麦茶を出しながら、ニコニコと聞いてくれる弟子丸マメくん。彼はとてもいい子である。いい子と言っても二十歳だそうだから、脇坂とそれほど歳の開きはない。

しかし、見た目は多めに見積もっても十二、三歳というところだ。つるんと剝《む》いた卵のような肌をした美少年の《小豆《あずき》とぎ》は、今日も脇坂にたっぷりアンコの入ったクリームあんみつを食べさせてくれた。

「あります、あります。妖人集会だなんて、すごく魅惑的な響きです」

「では一緒に行ってみます？」

「えっ、いいんですか！」

「いいわけないでしょう」

間髪をいれず否定するのは洗足だ。ちゃぶ台を挟んだ斜め前で湯呑《ゆの》みを手に不機嫌な顔をして、この蒸し暑いのに、さらに熱そうな番茶を飲んでいる。今日の着物は涼しげだが張りのある、明るいグレーの上布《じょうふ》だ。

「妖人が集まるから妖人集会なんです。きみは人間なんだから行けるはずがない」

「でもマメくんが」

脇坂は縋《すが》るような目を洗足に向けたが、洗足はあくまで冷たい。

「マメは優しい子だからそう言っているけどね、そもそも妖人集会ってのは人間の差別意識のおかげで暮らしにくくなった世間で、いかに生きていくのかを相談しあう集まりなんですよ？　そんな場所に人間なんか連れていったら、マメの立場がないでしょうが。

……ったく、ちょっと考えればわかりそうなもんだ」

ごもっともな洗足の言に、脇坂は「はあ」とアンコとクリームをぐちぐち混ぜる。

「だいたいねえ、脇坂くん。きみ、なんでここにいるんです？　ここは我が家の茶の間ですよ。身内がくつろぐ場所に、なんでよそ者の、しかも刑事のきみがいて、昼日中にのうのうとあんみつなんか食べてるんですか」

「あ、今日は非番なんです」

「そういう問題じゃない。それから、そんなにアンコとクリームを混ぜない！」

またしても叱られてしまった。脇坂が肩を竦《すく》めて「すみません」と謝ると、マメが小さな身体ごと洗足に向いて「先生」と少年のような声を発した。

「なんだい」

「集会に、脇坂さんを連れて行くのはだめですか」

真剣な眼差《まなざ》しで聞かれ、洗足は眉《まゆ》を寄せる。

「それはだめです」

「でも、みんなはわかりませんよ。脇坂さんが人間か妖人か」

「だからだめなんです。みんなを騙《だま》すことになるでしょう？　今回の妖人集会は、芳彦が幹事なんですよ？」

うー、とマメが困り切って唸《うな》り、膝《ひざ》で洗足に躙《にじ》った。

「でも、脇坂さんいい人です。僕のアンコ大好きって言ってくれるし」

「……ま、悪人じゃあなさそうだ」

至近距離でマメと向き合い、洗足の声が少しくぐもる。

「僕、年の近い友達できたの初めてなんです」

「友達って。まだ知り合ったばかりでしょうが」

「もう一か月経ちました。毎日メールしてます。次のお休みには一緒に映画に行くんです。そのあとで、スイーツバイキングも」

実に嬉しそうにマメが言うものだから、脇坂まで「えへへ」と照れてしまう。脇坂のほうも、念願叶《かな》って妖人の友人ができたわけだ。もっとも、たぶんマメのようないい子ならば、妖人だろうが人間だろうが友達になったことだろう。

「こんな友達でいいのかい、おまえ」

「ひどいです先生。僕の友達を馬鹿にしないでください」

口を尖《とが》らせたマメに「わかったわかった」と洗足が諦《あきら》め半分の口調を聞かせる。

「おまえの友達は、おまえが好きに選んでいい。でも、集会のことは別ですよ。妖怪マニアの人間が物見遊山で来るところじゃない」

洗足の言い分も理解できるのだろう、マメがしょぼんとした顔を見せる。脇坂はクリームあんみつを中断し、「待ってください、先生」と胡座《あぐら》にしていた足を正座に戻した。

ここはひとつ、伝えておくべきことがある。

「なんですか、Y対の人」

「いえ、確かに僕はY対の所属だし、物見遊山の気持ちがこれっぽっちもないと言えば嘘になりますけど……でも、それだけで言ってるわけじゃないんです」

ほーう、と洗足が例によって口の端だけで笑って見せる。

「他になにがあるのか、聞かせてもらおうじゃありませんか」

「ええ、聞いてください。僕は勉強に目覚めたんです！」

「は？　なんの？」

「ですから、妖人の。妖怪じゃなくて、妖人ですよ？　僕の知識って、いままでファンタジックな妖怪ばかりに傾いていたので、ここはひとつ気持ちを入れ替えようと！」

熱弁をふるった脇坂だったが、洗足は冷め切った目で「きみねえ」と言った。

「今頃なに言ってんですか。Y対に所属されてもう三か月でしょう？　それでいまから妖人の勉強って、どんだけスロースターターなんですか」

「あ、いえ、もちろん基礎的なことは研修で……」

「だいたい、勉強したとしてどうするんです？」

「妖人たちについて、もっと知りたいと」

「だから、知ってどうするんです？」

「ええと」

脇坂は口籠《くちご》もり、少し考えて「仕事にも役に立つし……？」と些《いささ》か自信のない返事をする。

実のところ、目的意識などない。ただ知りたいと思っただけなのだ。知りたいものは知りたい。しかしこれでは理屈にもならず、洗足にはとても通用しないだろう。

「Y対の仕事のために、マメを利用しようっていうんですか」

「とんでもない。そんなことは……」

否定しようとしたのだが、洗足は口を挟ませてくれない。

「そもそもY対は妖人が被疑者と思われる事件のときに駆り出される部署なんですよ？ことに昨今の警察は、なにかといえば妖人を疑う風潮がある。マスコミや大衆がそれを望んでいるからでしょうがね。世間は凶悪な事件であるほど、人間ではなく妖人の仕業ではないかと勘ぐり、やっぱり妖人は怖いんだというふうに結論づけたがるんです」

「確かにそういう傾向はありますが……」

「そんなご時世に、なんでマメがY対のきみに協力しなけりゃならないんですか。そりゃあたしはきみたちに情報提供をしますが、それはウロさんがあまりに熱心だったことに対する敬意と、さらに法務省絡みの下心があるからです。でもマメには、きみに協力しなきゃならない理由なんかない。万一人間が紛れていると露見すれば、芳彦は面目を失い、マメは責められるんです。そうなったとき、きみは責任が取れるんですか」

返す言葉もない。隙のない反論にやられて、脇坂は自分の身勝手を自覚した。妖人集会に連れて行けなんて、気軽に言っていいことではなかったのだ。

「ありますよ、理由」

くいくいと洗足の袂《たもと》を引っ張るのはマメだ。

「友達だからです。脇坂さんは僕の友達だから、僕は役に立ってあげたいです。それじゃだめですか。理由にならないですか、先生」

「マメくん……っ」

なんていい子なのだろう。涙腺《るいせん》がジワリと熱くなってしまう脇坂である。

洗足は袂を引っ張られながら、困った顔でマメを見ていた。

「それに、脇坂さんは妖人《ようじん》におかしな偏見は持っていないですよ？　間違った知識は持っているかもしれないけど、僕たちが教えてあげればいいことです。妖人の僕と友達になりたいなんて言うんだから、きっと僕たちの味方をしてくれます。刑事さんに味方がいたら、先生だって心強いでしょう？」

「そう簡単な話じゃないんですよ、マメ」

「簡単じゃだめですか。僕はあまり利口ではないので、難しい話はよくわかりません。でも、脇坂さんは友達だから……」

うるるっ、とマメの大きな瞳《ひとみ》に涙が溜《た》まる。洗足は両手でマメの髪をわしわしとかき回しながら、やや早口に「ああ、泣かない泣かない」と慌てる。

「わかった。ではこうしましょう、マメ」

「……っく……お許しいただけますか……？」

「幹事の芳彦が認めたら、あたしも許します」

「芳彦さんが？」

「今回の責任者は彼だからね。決定権は芳彦に委《ゆだ》ねましょう。あたしは集会には出ないんだし、芳彦がいいと言うなら……」

そこでスィと襖《ふすま》が開き、件《くだん》の家令が顔を見せる。甘い物のあとの口直しだろうか、薄焼き煎餅《せんべい》の入った菓子鉢を手に「ずるいですよ、先生」と座敷に入ってきた。

「なにがずるいんです」

「わかってるくせに。そうやって、自分は逃げるつもりでしょう」

「人聞きの悪いことを」

「はっきりダメと言って、マメに嫌われたくないんですよね、先生は。私だってそれは同じです。……脇坂さん」

「は、はい」

夷の吊《つ》り目がよりいっそう吊り上がっている気がして、脇坂は居ずまいを正す。この家の主はもちろん洗足であり、夷は彼に仕える身なのだが、同時に主に対して小言を言えるのもこの家令だけなのである。微妙な力関係だ。

「妖人集会の幹事として申し上げます。先生の同伴があれば、いらして結構ですよ」

「え。でも、先生は参加されないと……」

そうなんです、と夷がちゃぶ台の上に菓子鉢を置く。脇坂には勧めず、自分で一枚ぱりぱりと食べながら文句を言い始める。

「私が幹事なのに、私の主が出席しないなんて体裁が悪いからと、何度もお願いしてるのに聞いてくれないんです」

「はあ。それは困りましたねえ」

「そうです。困るんです。だから脇坂さん、妖人集会に来たければうちの主を引っ張って来てください」

「そう言われても……あの、先生はどうして集会がいやなんですか？」

「あたしはまだ妖人と決まったわけじゃないからです」

当然だろうとばかりに、洗足は返す。

「先生なら妖人であろうとなかろうと、みんな歓迎しますよ。お茶も飲めるわけだし」

「そこも気に入らない。芳彦はあたしに立礼点前までしろと言うんですよ。うちの流派はね、静寂かつ密な関係性の中で茶を味わうをよしとするんです。わらわらと妖人たちが集まる場所で、右から左にお茶を点《た》てるなんてごめんですね」

そう言いながら、二枚まとめて煎餅を取り、バリバリとすごい勢いで食べ出した。脇坂は小声でマメに「りゅうれいてまえって？」と聞く。マメもやはり小声で「お座敷じゃなく、テーブルとイスを使ったお点前です」と教えてくれる。

「まったく、先生の偏屈には困ったものです」

夷が棘《とげ》のある声を出す。

「あたしは人間にも妖人にもお愛想は振りまきたくないんです」

洗足のほうもツンと尖《とが》った声で応じる。いつもは平和な茶の間に、不穏な空気が流れていた。

「あの、先生。なんとか考えていただけませんか。僕、お点前のお手伝いしますから」

「きみに手伝ってもらうくらいなら、そのへんの野良猫の手を借ります」

「そんなあ。肉球じゃお茶碗《ちゃわん》割りますよきっと」

なんとも情けない顔をした脇坂だが、その隣ではマメがもっとしょんぼりした顔をしていた。

「……やっぱり、だめなんですね……。《座敷童《ざしきわらし》》に、言えると思ったのになあ……友達ができたよって、報告しようと思ったのに……」

ぽとり、と涙が一滴畳に落ちる。だがマメはすぐにそれを指先で拭《ぬぐ》い「し、しかたありません」と無理して笑った。

「先生のお許しもいただけないし、芳彦さんの条件もクリアできないし……もともと、僕のわがままなんだから、しかたな……」

ぱたぱたと、水滴が畳を濡《ぬ》らしていく。

洗足と夷はしまったという表情で互いを見あった。

涙はもう止まらず、マメは顔を上げられなくなって、深く俯《うつむ》いたまま「すみません、ぼく泣き虫で」と脇坂に謝った。

「大人なのに、おかしいですよね。すみません、あっちで小豆《あずき》とげば落ち着くので」

震えそうになる声を必死で抑えているのがよくわかった。脇坂はどう慰めていいのかよくわからない。可哀相だとは思うが、泣くほどのことでもないだろうというのが正直なところだ。どうやらマメはとても繊細な心の持ち主らしい。

「待ちなさい」

座敷を出て行こうとしたマメに洗足が声をかける。

袂に手を入れて腕組みし、溜息《ためいき》と同時に「あたしの負けだよ」と言った。

《座敷童》は、《小豆とぎ》同様、子供の見た目のまま成長する妖人である。見た目は《小豆とぎ》よりさらに幼く、声や喋《しゃべ》りかたも含めて五、六歳程度というケースが多いらしい。さらに、この両妖人に共通している特徴として、経た年月分の知識は吸収するが、情緒面は見た目の年齢を保つという点がある。

知能は高いが、心は幼い。マメが子供のようによく泣くのも、そのせいなのだ。幼い子供は悲しみを内に閉じ込めることをあまりしない。

《座敷童》は家に憑《つ》く妖怪として、昔から有名だった。

妖人《座敷童》も実際、家に憑く場合が多い。家人が《座敷童》に親切を施せば、童はその家にしばらく居着く。ふだんはこれといってなにもしないが、その家に凶事が起きる前には教えてくれる。たとえば、泥棒が入る。火が出るかもしれない。主が病になる。あるいは、農家ならば長雨が来る、などだ。すると家人は凶事に対する備えを行うことができる。

つまり、《座敷童》のいる家は栄えるという言い伝えは、あながち嘘ではない。

それらはいわゆる超能力とは少し違う。《座敷童》はその家と、家に出入りする者たちをつぶさに観察している。泥棒が下見に来るのを見逃しはしないし、子供たちに火遊びが流行《はや》っていることも見ている。主の顔色や、歩き方、息の匂いの変化にも敏感だし、天候を見るのも得意なのだ。つまり《座敷童》の予言は性能のいいコンピューターがはじき出す解答にも似た合理的な判断といえる。ただその過程を説明しないので人間には摩訶《まか》不思議な能力と映るのだ。

また、《座敷童》は寿命の長い妖人だという。長い時を生きて経験を培った《座敷童》は智恵の塊なのだ。

「ははあ、なるほど。長寿ゆえの叡智《えいち》なんですね」

やっと一段落ついた受付に立ち、脇坂は言った。

マメが隣で「そうなんです」と脇坂を見上げる。踏み台に乗っているのだが、それでも結構な身長差がある。

「先生の受け売りですけどね。あと、妖人《ようじん》の平均寿命は人間より長いというデータがあるそうですが、全体的に長寿なわけではなくて、ごく一部、極端に長寿な妖人がいるせいで、全体的に底上げされている……これも先生が仰ってました」

「でも、あんまり長生きで、しかも見た目が成長しないと、周囲から変だと思われないのかな」

「そうなんです。だから、《座敷童》はずっと流浪する妖人でした。一箇所にはいられないんですよ。僕たち《小豆とぎ》も同じだったみたいですね。先生いわく、昔の日本には漂泊する民が一定数いたそうですから、その中に紛れたりしていたのかもしれません。……もっとも、明治以降は流浪する妖人たちにとって、生きにくい時代になりましたけど」

「どうしてです？」

「徴兵のためもあって、本格的な戸籍制度が確立されたからです。国が民を文書で管理するようになって、住まいを定めないと、なにかと不便になってきます」

すごい、と脇坂は感心する。

「マメくん、詳しいなあ」

「えへへ。ぜんぶ先生の受け売りですってば」

「じゃあ、今の世の中は《座敷童》にとってはますます生きにくいでしょうねえ……今日、《座敷童》は来ますかね。会いたいなあ」

「どうかなあ。気儘《きまま》な妖人なので……」

六月の半ば、しとしとと雨の降りしきる天気の中、妖人集会が開催されている。

特殊な力を持つ妖人にしか辿《たど》り着けない秘密の場所……で行われているわけではなく、区民ならば誰でも利用できる公共の集会場だ。お茶とお菓子代込みで会費は千円。脇坂の想像より、ずっと簡素で堅実な会だった。

集会そのものは大会議室で行われ、隣の小会議室では休憩時に洗足の点前が行われる。会費をもらい、名簿をチェックしながら名札を渡すのが受付の仕事だ。名札といっても、本名である必要はない。その点はプライベートに配慮してある。また、妖人属性についても書きたい者だけ書けばよいらしい。初参加の場合のみ、身分証が確認される。

「なんか、マスクやサングラスの人が多かったですね」

脇坂は言った。定刻をすぎ、参加者のほとんどは会議室へ入っている。

「はい。自分が妖人だと周囲に公言していない人だと思います」

やはり妖人差別の問題は根深いんだな……余っている名札を綺麗《きれい》に並び替えつつ、脇坂は考えた。あからさまな差別行為が目立たないのは、妖人判定を受けていない人々が多くいるせいだと、鱗田も話していた。

もしかしたら、自分も妖人なのかもしれない。確率は低いが、ゼロではない。……その思いが、暴走しがちな差別行動のストッパーとなっているのだろうと、げじげじの眉《まゆ》毛《げ》を八の字にしていたのだ。

マメの名札にはそこらの書家が裸足《はだし》で逃げ出すような達筆で『弟子丸マメ　小豆とぎ』と書いてある。夷の書だそうだ。

脇坂はサインペンで『ヨウジ』とだけ書いた。属性は書きようがない。実際のところ、多くの妖人は属性を書かない。というか、わからないので書けない場合がほとんどだろう。今日はさぞかし色々な妖人を見られるのだろうと思っていた脇坂なのだが、ほとんどが属性不明なのに落胆していた。

属性を記した者はほんの数人。二メートル近く身長がありそうな女性は《高女《たかおんな》》と書いていたが、脇坂は知らない名称だ。髪が赤く、酒臭い息の老人は《猩々《しょうじょう》》。これは確か、中国の妖怪だったのではないか。さらに、やはり日本ではメジャーなのか《河童《かっぱ》》の男女が二名、そして盲目の坊主頭の男が《海座頭《うみざとう》》と書いていた。なにかで読んだ名のような気もするが、調べないとわからない。

ふと、脇坂は思い出す。そういえば洗足の属性をまだ聞いていない。

「ねえマメくん」

「はい」

「先生の属性ってなんだろう。もしかして不明なのかなあ」

マメは一瞬迷うような目つきをして「不明ではないと思います」と小声で答える。

「属性って、場合によってはデリケートなものなので……他人が教えるのはマナー違反というか……それに、先生は妖人だと決まったわけではないですし」

「あ、そうか。そうだよね」

マメの困惑声に、脇坂はあっさりと引き下がる。本人に聞くという手もあるが、まるっきり無視されそうだ。

「それにしても……青目さんが来たのには、ちょっと驚いたなあ」

集金した千円札をまとめながら、マメがぽつりと言う。

「来てましたね。やっぱり何度見てもいい男だ」

あんなふうに生まれてもてまくれば、人生はさぞ楽しかろう。いや、だが刃傷沙汰《にんじょうざた》が日常茶飯事は困るなと、脇坂は思い直す。

「青目さんがいると、芳彦さん機嫌悪くなるんですよね……」

「どうして？　仲悪いの？」

「仲が悪いというか……先生と青目さんが関わるのが嫌みたいです。ろくなことにならないからって。僕もくわしいことはわからないんですけど……ほら、芳彦さんって、先生をお守りするのが仕事だから」

「え。そうなの？」

ただの執事ではなかったのかと驚いた脇坂に、マメが当然でしょという顔で「だって《管狐》だもの。それは聞いてるでしょう？」と言った。

「聞いてたけど……《管狐》って、そういう妖人だったたんだ。ほら、妖怪的には取り憑くみたいなマイナスイメージがあって」

「主《あるじ》の力が弱いと、逆に《管狐》に利用されちゃう場合もあるそうです。でも、先生ならまったく問題なしですよ。主の力が強ければ、《管狐》は主と家を守るんです」

「力って、どんな力？　経済力とかじゃないですよね？」

「んーと、妖人の持ってる特別な力のこと、かな？　ほら、先生ならひと目で妖人と人間が見分けられるとか」

「ああ、そういう能力」

「芳彦さんもね、耳と鼻がすっごくいいし、運動神経も抜群ですよ」

「おお……やっぱり妖人はかっこいいな……」

洗足あたりに聞かれたら叱られそうな発言だったが、マメは自分も「ね。かっこいいですよね！」と同調する。しかし、その直後にはしゅんとして、

「僕なんか……なんの力もないんですよ。ただ若く見えるのと、小豆《あずき》とぐだけで……」

と嘆く。脇坂は慌てて「そんなことないよ！」と励ました。

「マメくんはいい子……じゃなくて、いい人だよ。僕の友達の中で、マメくんほど真っ直ぐな心を持った人はいません。それって、すごい美徳なんですよ？」

「びとく……」

小さく呟《つぶや》くマメに、脇坂ははっきりと頷《うなず》いてみせる。

「かっこいいとか、頭がいいとか、褒め言葉はいろいろありますけど、美徳があるなんて言われる人は滅多にいないはずです。マメくんもやっぱり特別です」

「そ……そうかなあ。えへへ……恥ずかしいなあ」

素直なマメが頰を赤らめる。他者の言葉をそのまま受け取れる素直さもまた、彼の美点のひとつだと脇坂は思った。警察にしろ刑事にしろ、いつも誰かを疑っている仕事だ。マメのような人間……じゃなくて妖人といると本当に心が癒《いや》される。マメと知り合えただけでも、Y対に配属されてよかったなと思うのだ。

今日、妖人集会に潜り込んでいることは、鱗田には話していない。

刑事ではなく、あくまで個人として、マメの友人としての参加だ。言う必要はないと判断した。などと言うと恰好《かっこう》はいいが、要するに小言を言われたくなかっただけである。

「脇坂さん、例の事件の捜査は進んでいるんですか?」

マメの質問に脇坂は「うーん」と唸《うな》った。

とても順調とは言い難い。武藤朱理の遺体が発見されてからもうひと月だ。順調ならば犯人逮捕となっているだろうし、せめて容疑者の特定くらいできていいはずだ。ところが、いまだに武藤朱理と交際していた男が何者なのかわからない。廃屋は徹底的に調べられたが、指紋は出ず、かろうじて毛髪が採取されただけである。DNA鑑定は済んでいるが、データベースとの一致はなかった。

「あんまり詳しくはお話しできないんですが……一課も苦戦しているようです。ほら、先生が青目さんのところに連れて行ってくれたでしょう?」

こくこくとマメは頷き「いまはバーテンさんなんですよね」と言った。

そのあとでごく小さく、あの人ちょっと怖くて……とつけ足す。

「青目さんのアリバイは完璧《かんぺき》でした。いやあ、女性にとっては危険な男ですけど、殺人犯ではない。それに、その後本部の刑事がダイエットフードの顧客名簿も調べたんですが、そこからも怪しい人物は見つからなくて」

ただし、結構な人数が偽名を使った私設私書箱サービスを利用していたため、誰が購入したのか不明な部分も多かった。地道な捜査は続いているが、道のりは長そうだ。

「被害者の友人たちが、一度だけ容疑者に会っているんです。一課の刑事が話を聞きに行っているんですが……」

容疑者を見たのは三人。港《みなと》エリナ、高塚知代果《たかつかちよか》、鶉田結《うずらだゆい》。

いずれも朱理と同じ大学に在籍している女子大生だ。一緒に講義に出たり、ランチを摂《と》ったり、ときには合コンに参加したりという仲良しグループである。知代果と結は、大学近くの駅ビル内で偶然、朱理と被疑者を見たと言う。「彼氏？」と聞くと、顔を赤くして「やだもう、恥ずかしいなあ」と肯定したそうだ。講義が午後からなので、ランチデートをしてから大学へ行くのだと言っており、事実、その日の四限目には知代果と同じ授業に出席している。

エリナのほうは同日の夕方、大学の校内で被疑者を見たと話した。

朱理を迎えに来ていたらしい。朱理はそのとき、まだ講義に出ていたので「あと三十分で終わるはずです」と教えてあげたと言う。

「被疑者の特徴を聞いたんですけどね。三人とも、痩《や》せ型で、顔はまあまあで……と、曖昧《あいまい》なんですよ。まあ、一度会っただけだし、もう時間が経っているので、細かく覚えていないのは当然なんだろうな。僕だってその立場だったら、覚えてないと思うし」

「うちの先生みたいな特徴があればね」

脇坂はしみじみ頷き「絶対に忘れませんね」と同意する。和服のハンサムで片目を隠している……こんな覚えやすい人はいない。

朱理の部屋や携帯電話、パソコンも調べたが、出て来た名前は当然偽名の斎藤だった。ふたりが知り合ったのはSNSだったが、被疑者は携帯電話からアクセスしていた。現在調査中だが、十中八九、いわゆる『飛ばし』、つまり赤の他人名義の携帯だろう。朱理が被疑者と一緒に撮った写真もなかった。男と腕を組んでいる写真は出て来たものの、前の彼氏だった。念のためその元彼にも話を聞いたが、偽名・斎藤についてはなにも知らないと語っている。また、朱理の部屋から本人・友人以外の指紋は検出されていない。被疑者は朱理の部屋に一度も行っていないのかもしれない。

「早く見つかるといいですね、犯人」

「はい。頑張ります」

とは言うものの、味噌《みそ》っかす扱いのY対である。どこまで捜査に食い込めるか正直わからない。しかも、伯父《おじ》のコネでY対に入った自分は、捜査一課からやけに煙たがられているようだ。

まあ、これは予想の範疇《はんちゅう》だ。いずれ実績を積んでいけば、彼らの態度も変わるだろう。いつ実績が積めるかは置いといて。

とりあえず今日は集会の仕事を頑張ろう。そろそろ受付はマメに任せて、洗足の手伝いに行かなければならない。

「じゃ、そろそろ僕は先生のほうに……あ」

脇坂が受付から離れかけたとき、階段のほうからこちらに向かってくる小さな黄色が見えた。なにかと思えば、五歳くらいの子供だ。真っ黄色のレインコートを着ている。

マメが「あ」と声を立てて、踏み台から降り、駆け寄る。自分よりさらに小さな男の子に両手を差し伸べると「わあ、来られたんだねえ」と出迎えた。

「遅いから、来ないかと思っちゃった」

男の子もマメを見上げ、両手を差し出す。ふたりはしっかりと手を握り合った。

「ここ、すこしとおい」

「そうだね。もう中で集会が始まってるけど、最初は芳彦さんの堅い話だからちょっとくらい遅れても平気だよ。それに、今日は先生がお茶を点《た》ててくださるよ」

男の子は小首を傾げて「つのつののおかし、ある?」と聞く。

「つのつの……ああ、金平糖? そういえば先生が少しだけ用意してた。あれって、きみのぶんだったんだね。一応、今日のお菓子は水ようかんなんだけど……水ようかんは嫌い?」

男の子はぷるぷると首を振って「すき」と答え、マメは満面に笑みを湛《たた》え「両方、もらえるよ」と答えた。そしてくるりとこちらを振り返り「脇坂さぁん」と呼ぶ。

「ほらほら、《座敷童《ざしきわらし》》ですよ」

「えっ。この子が？」

だって、普通の男の子じゃないか……と思った脇坂だが、すぐに思い直す。普通で当然なのだ。今日集まった妖人《ようじん》たちだって、みんな普通の人間に見える。だからこそ人間に交じって生きてこられたのだと、このあいだ洗足に叩《たた》き込まれたばかりではないか。

受付のデスクから離れ、脇坂は身体を屈《かが》めて「こんにちは」と挨拶《あいさつ》をした。

「こんにちは」

「《座敷童》くんだね」

「あい」

くりくりとした大きな目はマメと通じるものがあったが、マメよりも感情が読み取りにくい。見た目は子供だが、この《座敷童》が脇坂より年上だという可能性もあることに気がつき、まずそのへんを聞いてみることにした。

「ええと。僕は二十六歳なんだけど、きみは何歳？」

何歳ですか、と敬語を使うべきだっただろうか。けれど《座敷童》はたいして気にしていない様子で考えている。しばらくして、結局「わかんない」という返事が戻ってきた。予想外の返事に、脇坂は些《いささ》か驚く。

「自分の歳、わからないんだ……」

「わすれた」

　ということは、忘れるくらい生きているのか。たとえば百年を超している？　それとも単に、忘れっぽいのか？

「ふだんから、あんまり気にしてないのかも。僕なんかは自分を大人だ、大人だって言い聞かせちゃうタイプですけど」

　レインコートの水滴を自分のハンドタオルで拭《ふ》いてやりながらマメが言った。

　それからコートを脱がせ、内側を表にして畳み、ハイ、と《座敷童》に持たせる。ちょっとお兄さんを気取りつつ、とても優しい。

「でも珍しいねえ。きみが集会に来るなんて」

「あい」

「ふふ。もしかして、金平糖が目当てなの？」

　マメの問いに、《座敷童》はぱちぱちと瞬《まばた》きをして「それも、ある」と正直に答えた。

　その素直さに脇坂の頬も緩む。

「あとね。きこうとおもったの」

「なにを聞くの？　きみはなんでもよく知ってる妖人なのに」

「わかんないの。おかあさんになってほしいの」

「………？」

マメと脇坂は目を合わせて首を傾げる。おかあさんになってほしいとは、どういう意味だろうか。

「ずうっと、さがしてたの。おかあさん。みつけたの」

「ええと……お母さんになってほしい人を見つけたということ？」

「あい」

マメの質問に真剣な眼差《まなざ》しが答えた。脇坂はしゃがみ込んだまま、自分の膝《ひざ》を抱えるようにして《座敷童》に聞いてみる。

「きみを生んだ、本当のお母さんは？」

「いない」

即答だった。死んだのか、行方不明なのかはわからないが、とにかくいないらしい。

「いないから……ずっとさがしてたの。やっとみつけた」

「見つけた人って、ええと、つまり赤の他人なんだよね……？」

「そう。たにん」

「女の人、だよね？」

またコクリと頷《うなず》き、それからつけ足した。

「アパートにすんでるの。ひとり。こどもはいないよ」

「結婚もしてないの？」

「してない」

一旦《いったん》言葉を切ったあと、クッと《座敷童》の小さな胸が上がった。思い切り息を吸い込んで、今度は一気に捲《まく》し立てる。

「やさしいの。おべんとうたべさしてくれたの。キノくんとよぶの。かみのけがキノコみたいだから。なまえもらったのひさしぶりなの。おてだまもなおしてくれるの。このあいだはたまごやきをつくってくれた。あまくて、おいしいの」

よほどその女性を気に入ったらしい。表情は変わらないのだが、目の輝きが増していく。きらきらと輝く瞳《ひとみ》を見ていると、その一途さが少し怖いほどだった。

これは些か難しい問題だ。恋人になりたいわけではない。お母さんになってほしい、つまり自分が子供になりたいのだ。法律的にいえば養子縁組を組めばいいのだが、《座敷童》が求めているのがそんな書類上の形式ではないのは、脇坂にもわかる。彼は精神的な繋《つな》がりが欲しいのだ。その人のことを「お母さん」と呼んで甘えたいのだろう。

「おかあさんになってほしいの。……どうしたらいいのか、きこうとおもって」

なるほど、この妖人集会でアドバイスを求めるつもりだったわけか。

「きみは、その人のことが大好きなんだねえ」

脇坂が言うと、《座敷童》は少し頬を赤らめて「だいすき」と返した。

「だいすきだから、つのつののおかしもあげる」

「そっか……じゃあ、やっぱり本人に聞いてみたらどうだろう」

「きいてみる？」

うん、と脇坂は膝を抱えたままで言う。

『お母さんみたいに思ってもいいですか』って、聞いてみるんだよ。『お母さんになってください』だと、ちょっと重いと思うんだよねえ」

「おもい……？」

「だってほら、本当にきみのお母さんになっちゃったら、その人、このあと結婚したり子供産んだりできなくなっちゃうよね」

「……あい」

「きみはそれを望んでるの？」

《座敷童》はすぐに首を横に振り「それはだめ。さみしいから」と言った。

「わるいおとこのひと、だめ。でもいいひとは、いいの」

「うんうん」

悪い男が彼女に近づくことは許さないが、いい相手と幸せになるならばいい。幸せになって欲しい。《座敷童》はそう言いたいようだ。

「ずうっといっしょにはいられないから……しあわせになるの、たいせつ」

どこか遠い目をしてそうつけ加える。ああ、そうか——脇坂は理解した。《座敷童》は流浪する妖人だと、さっき聞いたばかりだ。本物の子供のような庇護《ひご》を求めているわけではないのだ。ただ、懐かしく温かい母という存在に、ときどきそっと寄り添いたいだけなのだろう。

「おかあさん、みたいに、おも……？」

「思っても、いいですか」

「おもっても、いいですか……」

大切な台詞《せりふ》を確かめるように《座敷童》は言った。隣でマメが「上手、上手」と褒める。もともと優しい人ならば、こんな風に言われればダメだと拒絶しないだろう。ちょっと驚き、つぎにはにっこりと微笑んで「いいよ」と言ってくれるはずだ。

「うまくいくといいね」

脇坂が微笑むと、《座敷童》も笑みを見せた。それからふと思い出したように、「きょう、あおめ、きてる？」と聞く。

「青目さん？　来てるよ。もう中にいると思うけど」

マメが答えた。どうやら《座敷童》と青目甲斐児は知り合いらしい。《座敷童》はコクリと頷き、会議室のほうをじっと見た。

「おや。《座敷童》」

洗足の声に、《座敷童》が顔の向きを変える。マメも振り返り、脇坂はしゃがみ込んだ状態から立ち上がろうとしてアワアワとよろける。足が痺《しび》れてしまったのだ。おかしな姿勢のまま固まった脇坂をフンと一瞥《いちべつ》し、古めかしい電気ポットを持った洗足が「来たんだね」と《座敷童》に話しかける。

「あい」

「おいで。金平糖を持ってきているよ」

「あい」

長靴をキュッと鳴らして《座敷童》が小走りになる。洗足の隣に行くと、渋いグリーンの御召の袂《たもと》を握りしめ、一緒に歩き出した。どうやらあの偏屈な先生にも可愛がられているらしい。

脇坂はマメと共に受付に戻り、そろそろここを片付けようかという話になった。

「もう十五分くらい過ぎましたし、僕もお点前《てまえ》の準備を手伝います」

マメが言い、現金を手提げ金庫にしまい始めた。そのとき、ひとりの男がきょろきょろしながらこちらに近づいてくるのに脇坂は気づいた。雨が強くなったのだろうか。グレーのパンツの膝から下が濃くなっている。湿った感じの髪を乱し「すみません」と脇坂たちを見る。

「あの……よ、妖人《ようじん》の集会は、こちらでしょうか」

三十前後くらいだろうか。おとなしそうな顔だちをした、丁寧な物腰の男だった。雨の上に蒸し暑い日だというのに、きちんとジャケットを着ている。

「はい、妖人集会の受付はこちらです！」

脇坂が明るく答えると、少し驚いたような顔をしてから「あ、会費」と財布を出す。マメが千円を受け取り、名簿を捲《めく》って「お名前は」と尋ねた。

「ええと……初参加なんです」

ならば名簿に名前はない。

「そうですか。事前にご連絡戴《いただ》いてますか？」

「いいえ。……その、知人が今日の会を紹介してくれて。私は最近、自分が妖人だと判明したものですから」

そうですか、とマメは微笑む。こんなパターンは珍しくはないのだろう。

「ではこの用紙にご記入ください。ここには本名を書いていただきますが、会場では仮名で問題ありません。プライバシーは妖人集会本部でしっかり管理いたします。あ、あと身分証を拝見させてくださいね」

男は素直に頷き、几帳面《きちょうめん》な文字で書類を埋めると、運転免許証を出した。マメが裏側を見ると、妖人を表すYマークが刻印されている。

「はい、結構です。では白紙の名札をお渡ししますので、適当な名前と、差し支えなければ属性も書いてください」

「属性……？」

マメは自分の名札を示して「こんな感じです」と説明する。男は納得した顔で頷き、マメの渡したサインペンを左手で受け取る。

キュポンと音をたててキャップを取り、名前を書いた。

名前はトオルと記す。書類のほうは佐々木徹とあった。

あまりジロジロ見ては失礼だよなあと思いつつ、脇坂は次に続く属性に興味津々だ。

男はサインペンを持ったまま、しばしの躊躇《ためら》いを見せる。

右手の人差し指で、頬に貼りついた髪の毛を払いのけた。ちょっと神経質な感じがするなと脇坂は思う。

小さく息をつき、躊躇いを捨てるように属性を書き込む。

そこに書かれた文字を見たとき、脇坂はもう少しで声を立ててしまいそうになった。

※

失敗した。

失敗してしまった。

もう少しだったのに。あと三キロ落としたら、あの頃の母の体重になったのに。頬骨が綺麗《きれい》に浮くようになっていた。手首の骨もぐりぐりして愛《いと》おしかった。鎖骨の窪《くぼ》みに水を溜《た》めて、そこで小さなサカナが飼えそうだった。ネオンテトラがいい。青くてキラキラするあれがいい。きっととても美しい。

あの子は泣いていた。家に帰してと懇願した。

可哀相だったけれど、断った。きみは私の母さんになるんだからだめだよと優しく言って聞かせた。あの子は違う、と繰り返した。あたしはあなたのお母さんじゃない、違う、と。

そう、今は違う。でもなれるんだ。なれたはずだったんだ。あと三キロでなれたのに。

なのに失敗した。あの子は突然いなくなった。私があんなに頼んだのに。

ここにいて。大人しくしていて。綺麗な肌着を着せてあげる。爪はピンクに塗ってあげる。バラの香りのクリームも用意した。毎日お湯を沸かして、ふかふかのタオルも渡した。

怖くないよ。

撲《ぶ》ったりしない。殺すなんてとんでもない。

きみは私の母さんになるんだ。この世で一番綺麗な女の人になるんだ。だからお腹がすくのだけちょっと我慢して。できるよね。大丈夫。私だって我慢したんだ。ずっとずっと我慢してたんだよ？　隠れて砂糖を舐《な》めてるのを見つかったとき、母さんはすごく怒ったんだ。怒って、鼻の穴にギュウギュウ砂糖を詰めたんだ。そのまま口を塞《ふさ》がれて苦しくて死ぬかと思った。でもきみは大丈夫。ここには砂糖なんかないから、そんなことにはならない。

……でもあの子はいなくなった。切れた足枷《あしかせ》だけ残して消えた。崖下《がけした》で死体が発見されたとニュースで聞いて、私は憤った。

いったいなんで！　誰が！

もう少しだったのに！　もう少しで母さんになれたのに！

テレビに出ている人は、なにもかもを承知だという表情で「《油取り》が殺したのだ」と言っていた。「《油取り》が崖から突き落としたのだ」と。嘘だ。そんなことしない。でも私は《油取り》だ。確かにあの子を攫《さら》ったのは私だ。

もしかしたら、無意識のうちに殺してしまったのか？

《油取り》としての習性が、無意識のうちにあの子を殺して油を絞れと命じたのか？

よくわからない。最近、ときどき記憶が飛んでいることがあるから、自信がない。

いずれにしても、失敗だ。

母も何度か失敗していた。痩《や》せなければならないのに、突然狂ったように食べ始めて、動けなくなるまで食べると、喉《のど》に指を突っ込んで吐いた。吐くのは難しくないと青い顔で笑っていた。慣れれば簡単だと。ただ胃酸で喉が灼《や》けて痛いのが困ると。

私は失敗を挽回《ばんかい》しなければならない。あの廃屋は使えなくなってしまった。どうしよう。いや、あんな場所だったから失敗したのかもしれない。やはり、母の居たこの家が最適なのだ。今度は母の部屋にしよう。この家に連れてこよう。母とそっくりなあの人を招待しよう。

きっと彼女は母の生まれ変わりだ。いや、生まれ変わりだと計算が合わない。死んだ母が彼女に憑依《ひょうい》したのだ。私が心配で、見守るつもりでいたんだと思う。だから思わぬほどに近所にいたのだろう。ほら、辻褄《つじつま》があう。

次は失敗しない。

私はもうすぐ母に会える。大好きな母。愛しい母。ろくに食べさせてくれなかった母。菓子をすべて取り上げ、僕を強く叩《たた》いた母。般若《はんにゃ》のような顔で殴り続けた母。

母に会ったら、聞かなければならない。

あなたは私を愛していたのかと。

本当は憎かっただけなのではないのかと。

相談に乗って欲しいんです――チカにそう言われたとき、若干のいやな予感はあった。若い女の子の『相談に乗って』というのは、実質『愚痴を聞いて』という意味だからだ。藺美自身、そういう年頃があったからこそわかる。ただひたすら頷《うなず》きながら聞いて欲しいのだ。現実的なアドバイスなんかいらない。ましてや批判などもってのほかである。それでも断らなかったのは、藺美にも愚痴りたいことがあったからに他ならない。

※

六月下旬の木曜日、藺美はチカを自分のアパートに招いた。

ふたりで夕食を作り、ビールを飲みながら食べた。チカは料理がうまく、メインのビーフストロガノフの他に、パパッと手早くつまみになる料理も作ってくれる。どれも味は濃いめでやや脂っこく、そのぶんビールにはとても合う。なるほどこれはなかなか痩せられないだろうと思ったが、もちろん口に出したりはしなかった。

恋愛関係の相談かなと思っていたのだが、女友達に関することだった。あまり論理的に話す子ではないので、ずいぶんと遠回りな説明だったが、要約すると「自分には本当に心を許し合える友人がいない」というような悩みだ。

「みんなそんなものじゃない？」

三缶めのビールを飲みながら藺美は言った。

「つまり親友が欲しいっていうことだよね？　自分を飾って見せたり、取り繕ったり、相手のご機嫌をうかがったり、そういうのが一切なしの……難しいよね。一生のうちに、ひとりかふたり、そういう友達ができればいいほうだよ」

「でも、できるとしたら学生のうちでしょ？」

「そうとは限らないよ？　一緒に仕事して芽生える友情もあると思うし。……この手羽先、ほんと美味《おい》しい」

丸い顔を真っ赤にしたチカが「よかった」と笑う。

「藺美さん、いっぱい食べて。あたしはあんまり食べるとまた太っちゃう」

「だからあ。チカちゃんは可愛いってば」

アルコールが手伝い、藺美の舌はいつもより滑らかだった。

「自己評価が低すぎるのも問題だよ？　お肌キレイだし、グラマーだし、お料理上手。彼氏なんかすぐできるって」

「もー、藺美さん酔ってるでしょ。そうだ、例の人どうしました？　すっごくかっこよかったあの人。電話しました？」

それがねえ、と藺美は軽くなった缶をローテーブルに戻して吐息を零《こぼ》す。さあ、やっと自分の順番が回ってきたようだ。

「電話したの。二十九歳なりに勇気を振り絞って電話したのよ。会う約束もできたの」

「すごい！　デートしたんだ！」

チカが興奮して身を乗り出し、肉づきのよい膝《ひざ》がテーブルの裏にゴツンと当たった。痛そうな音だったが、本人はまったく平気らしい。

「してないのよ。当日、すっぽかされちゃって」

えへへ、と笑う自分が情けなかった。

つい最近……まだ一昨日の話だ。

電話はかなり長くなった。趣味の話、家族の話、住んでいる場所の話――向こうが気軽に自分のことを語るものだから、繭美もつい詳しく話してしまった。楽しくて、時間を忘れて喋《しゃべ》った。そのあと、どういう流れか忘れたが、食べ物の話題になって、美味しい中華の店に行きませんかと誘われたのだ。胸のどきどきを押さえこみ「いいですね」などと答えたが、その瞬間地上から数センチ浮いていたのではないか。それくらい繭美は舞い上がっていたのだ。

「すっぽかされたって……来なかったんですか？　連絡もなしに？」

「そう。カフェで二時間待っちゃったよ。ケータイあるのに連絡なしってことは、意識的なすっぽかしだよね。なんなんだかなあ、もう」

浮かれていた分、落ち込んだ。今度は足裏が地面にめり込んでいくような気分になった。チカが「失礼な男」と唇を尖《とが》らせる。本当にそうだ。

「そんな失礼な奴とつき合わなくてよかったんですよ、きっと」

「チカちゃん、ポジティブシンキングできるじゃない」

笑いながら繭美が言うと、チカも甘い酎《ちゅう》ハイをすすりながら笑う。つけっぱなしのテレビの中でも、お笑いタレントたちが騒いでいた。

ふと、コツコツという音が聞こえる。

なんだろう。繭美はリモコンを取り、テレビの音量を下げる。いつ降り出したのか、サアサアと雨の音が聞こえ、次にまたコツコツと音がした。誰かがドアをノックしているのだ。チカが自分の腕時計を見て「もう十一時ですよ」と言う。宅配便が届くような時間ではないし、こんな深夜に訪ねてくる友人に心当たりはない。

「ちょっと見てくるね」

繭美はドアの前に立ち、スコープを覗《のぞ》いた。一瞬、誰もいないと思ったのだが、かろうじて小さな頭が映っている。驚いて、すぐにドアを開けた。

「キノくん！　どうしたの？」

黄色いレインコートに身を包み、小さな男の子が繭美を見上げていた。いつもと同じ、喜怒哀楽のわかりにくい顔でじっと見つめている。

「おかお、あかい」

そう指摘されて、苦笑した。レインコートからつるつると水滴が滑り落ちている。チカもやって来て、繭美の背後から男の子をのぞき込み「どこの子ですか？」と聞く。

「わからないの。ときどき見かけて、ここに遊びに来たこともあるのよ。このへんの子だとは思うけど……キノくん、もう夜だよ。おうちの人、心配するよ？」

「つのつの」

「え？」

小さな右の握り拳《こぶし》が差し出される。なにかを渡したいのだと思い、繭美は手のひらを出した。握り拳が解《ほぐ》れて、ぱらぱらと落ちてきたのは金平糖だ。湿気《しけ》った夜なのでベタベタしてしまっている。それでも繭美は微笑んで「ありがとう」と言った。

「つのつのの、おかし」

男の子の手のひらには二粒の金平糖が残っていた。それは自分でぺろりと舐《な》めとり、ほんの少しだけ笑う。彼は本当に金平糖が好きなのだ。

「キノくん、あたしにくれると自分のぶんが減っちゃうよ。いいの？」

「ん」

「もっとたくさんあるの？」

「んーん」

今度は首を横に振った。少ししかない金平糖なのに、繭美にくれるらしい。

「たいせつなひと。たいせつなもの、あげる」

「うん？　あたしが大切な人なの？　嬉《うれ》しいなあ、ありがとね」

頭を撫《な》でてやると、小動物のように眼を細めた。それからチカを見て「おともだち？」と聞く。

「そう。お友達よ。キノくん、おうちまで送っていこうか。暗いし、雨だし」

藺美の申し出に、男の子ははっきりと首を横に振る。

「ひとりでかえる」

「そう？　大丈夫？」

「キノくん、だいじょうぶ。おともだち、おんなのひと、いいの。だけど、おとこのひと、だめ」

「うん？　なあに？」

意味がよくわからない。藺美がしゃがみ込んで目線をあわせる。大きな瞳《ひとみ》は雨の降る闇夜よりもっと黒々としている。

「──気をつけて」

短いその言葉だけが、妙に大人びて聞こえたのは気のせいだろうか。戸惑う藺美を見つめながら、男の子はもう一度「おとこのひと、だめ」と言った。男性は部屋に入れてはいけないという意味なのだろうか。もう三十近いんだから……という以前に、こんな小さな男の子が言う台詞《せりふ》ではない。

「藺美さん？」

膝を抱えるようにして考え込んでいたら、チカに呼ばれた。

「あ、ごめん。もう少しだけ」

「それはいいですけど……この子、変ですよ。男の人を家に入れるななんて、なんか嫉《しっ》妬《と》してるみたいじゃないですか。ちょっと怖い……」

怯《おび》えたような顔で言う。

繭美は笑いながら「まさか」と返したが、チカの怖がる気持ちも理解できた。深夜にひとりで現れ、雨に打たれながら金平糖を差し出す幼児……いささか怪談めいている。

しかも、繭美はいまだにこの子の名前も歳も、住んでいるところも知らないのだ。

この子は誰なのか。

どうして繭美のところへ来るのか。

なぜ、男性を部屋に入れるななどと言うのか。

「悪い。中で待っててくれる？」

立ち上がり、チカにそう言った。チカはわかりました、と部屋の奥へ戻る。それを確認してから再び振り向くと、男の子はもういない。

サアサアと雨だけが降っている。

濡《ぬ》れて黒くなったコンクリートに一粒だけ金平糖が落ちている。赤い小さなつののお菓子。繭美は腰を曲げ、それを拾い上げた。もちろん食べるつもりはないが、そのまま雨に溶けていく小さな菓子が少し可哀相に思えたのだ。

ドアから身を乗り出すと、遠ざかる黄色いレインコートが見えた。

六

「雨、やみませんねえ」

「…………」

「昨日からずっと降ってますよね。僕、いつも思うんですけど、乾燥機がなかった時代って、みんな梅雨時の洗濯はどうしてたんでしょうねえ」

「…………」

「昔の日本には梅雨がなかったのかと思ったんですけど、調べたらちゃんとあるんですよ。っていうか、昔々は洗濯機もなかったから、タライで洗濯していたらしいんですけど、そのタライっていうのがわかんないんです。タラコとは関係ないみたいでした」

「…………」

「タラコで思い出したんですけど、このあいだ食べた卵焼きにタラコが入っててすごくびっくりしたんですよ！　あり得ないと思ったんですが、甘い卵焼きとしょっぱいタラコが意外にもマッチしてて。僕、卵焼きといえばお出汁《だし》を混ぜた上品なやつが好きだったんですが、あれはあれで美味《おい》しいなあと！」

こいつのストップボタンはどこだ。脇坂を見て、玖島は思う。品のいい坊ちゃん面の、耳の下あたりに小さなボタンがついていて、それを押すと機能が停止すればいいのに。いや、運転させているので全機能停止は困る。この曲がりくねった山道では、すぐに崖《がけ》へと転落しかねない。ならばミュートボタンはどうだ。この使えないY対の新人には、ぜひミュート機能を搭載すべきである。

「ところで、玖島さんは何派ですか?」

黙らない上に空気の読めない新人は言った。玖島は不機嫌を隠さず「なにが」と返す。雨で視界の悪い山道を車は進んでいる。目的地は武藤朱理が監禁されていた廃屋だ。一足先に、鱗田と、例の茶道家が到着しているはずである。

「卵焼きですよ。僕は出汁巻き派。ウロさんは砂糖醤油《じょうゆ》派だそうです」

「そんなもの、なんでもいい」

「なんでもよくても、特に好きな味ってあるでしょう? お母さんが作ってくれたのはどんな卵焼きでしたか?」

「次、左の小径《こみち》に入れ」

脇坂の質問を無視して指示を出す。廃屋までもう近い。

……そういえば、と玖島は唐突に思い出す。母の卵焼きにはいつもハムとちりめんじゃこが入っていた。中学まで、弁当の定番メニューだった。玖島にとってはそれが普通だったのだが、珍しい取り合わせだったらしい。同級生に「変わってる。でもうまい」

と言われたこともある。母は愛媛県の出身で、ちりめんじゃこの名産地だったことが関係しているかもしれない。ハムもじゃこも塩気があるので、卵だけは甘くしてあり、濃いめの味が弁当には最適だったのだ。たぶん、酒の肴《さかな》にもいいのではないだろうか。

「……うちの卵焼きは……」

「あっ、あそこにいるの先生だ！」

せっかく説明してやろうとしたのに、脇坂は勝手に車を停める。

玖島は眉間《みけん》に深い皺《しわ》を刻んで、眼鏡を押し上げた。この野郎。もう二度と教えてやるものか。あの素晴らしいレシピは永遠に秘密だ。

レインコートを羽織り、靴もゴム長靴に履き替える。舗装道路から外れた小径だ。泥土に足を取られやすいので、手が塞《ふさ》がる傘はささない。車を降りると、ぬちゃぬちゃした道を進んだ。

被害者の落ちた崖上に、鱗田と洗足が立っている。鱗田はやはりレインコート姿だが、洗足は裾《すそ》をからげた着物に雨下駄《あまげた》で、傘をさしていた。

「おお、来たかい」

鱗田が軽く手を振って見せた。洗足のほうはこちらに気がついているだろうに、ちらりとも見ない。ただじっと、崖の下を覗《のぞ》きこんでいた。

この男を現場に連れて行き、アドバイスを仰げという命令が出たとき、玖島は耳を疑った。いったい、上はなにを考えているのか。

Y対がうろつくだけでもうっとうしいというのに、今度はやたらと妖人《ようじん》に詳しい茶道家か。だいたい、容疑者が《油取り》だという線はもうなくなったのだ。

青目甲斐児のアリバイは、作ったみたいに完璧《かんぺき》だった。ならば洗足など無関係だろうにと思うのだが、上層部は『事件に妖人が絡んでいる可能性は捨てきれない』とごり押しする。

「先生、それ以上前へ出ると危ないですよ」

脇坂が言うと、やっとじろりとこちらを見た。

「そんなこた、きみに言われるまでもないです」

「ここから落ちたんですねえ……五メートルでしたっけ。結構高さがあるなあ」

玖島は以前にもこの現場を見ているので、少し離れた場所に立っていた。山中の上に雨なので、気温が低い。小さなくしゃみをすると、洗足がこちらを振り返る。

「玖島さん」

呼ばれて、玖島は前に出る。

内心の不満が顔に出ないよう努力はしたが、もともと愛想のいいほうではない。いくらか突《つ》っ慳貪《けんどん》な口調になるのは仕方ないだろう。

「朱理さんは、このあたりから落とされたわけですか？」

「そうです」

「背中から落ちた？」

「はい。死因は後頭部の強打ですし、背中や肘《ひじ》など、挫傷《ざしょう》はすべて背面でしたから間違いありません。肩か、胸か、とにかく身体の前面を突き飛ばされて、後ろから落下したと考えられます」

「争ったあとはほとんどないと聞きましたが」

雨のせいで、長い前髪が頰に貼りついている。有名な妖怪アニメの主人公みたいな髪はファッションではなく、左目に傷があるせいだと聞いていた。

「落下したときの傷しかありませんでしたね。もっとも、被害者には犯人と争うような体力も気力も残っていなかったと思います。日々、水と少量のダイエットフードだけでしたから」

「逃げる気力はあったのに、争う気力はなかったと？」

しばし考え、玖島は「訂正します」と答えた。

「気力はあったでしょうが、体力がなかった。女性ですから腕力も乏しい」

「遺体はネックレスを握りしめていたとか」

「はい。被害者自身のネックレスです」

「違うかもしれませんよ」

「え？」

洗足の傘がゆるゆると一回転する。その動きが止まったところで、眦《まなじり》のくっきりした右目が玖島を捉《とら》えた。

「午前中、ウロさんと大学に行ってきたんです」

「ああ。被害者の友人に会ったんですね」

ええ、と洗足はまた崖を見る。ここから落ちたらさぞ痛かろうよ――というように眉《まゆ》を顰《ひそ》めた。整った横顔の睫毛《まつげ》はやたらと長い。ちょっと歌舞伎の女形みたいだなと思う。

洗足と鱗田が、被害者の通っていた大学へ出向く予定は聞いていた。港エリナ、高塚知代果、鶉田結の三人は唯一犯人と会話を交わした目撃者である。すでに捜査本部の刑事が話を聞いていると言ったのだが、洗足は直接会いたいと主張したそうだ。

「三人とも、友達の死に落ち込んでいましたが、快く協力してくれましたよ」

――早く犯人を捕まえてください。

鶉田結は涙ぐんでいたそうだ。高塚知代果も深く頷《うなず》き、

――可哀相なアカリ……どんなに怖かっただろうと思うと、胸が痛いです。

そう言った。港エリナも沈んだ面持ちで「崖の下なんて、すごく寒かったでしょうね」と呟《つぶや》いたそうだ。

「いろいろ話は聞きましたが、一番気になっていたのはネックレスについてです。あきらかに不自然でしたから」

鱗田から事件のあらましと捜査状況を一通り聞いた洗足が、一番解せなかったのはネックレスの件だったという。崖下の遺体の手の中にあったネックレス――自分のネックレスを、自分で引きちぎる必要があるか？　鱗田も気にしていた部分だ。

「確かにそこは捜査本部内でも不可解だとされています」

「で、考えたんですが」

「はい」

「もしかしたら、違うネックレスなんじゃないかと」

「はい？」

「被害者のネックレスではなかった可能性はないのかと」

いや、と玖島は否定した。

「それはないです。友人たちは三人とも『アカリが彼氏に買ってもらったものだ』と証言しましたし、偽証する必要もない。それに、購入した店の名前も知っていて、裏も取りましたよ。店員は武藤朱理の顔を覚えていました」

「だからね。そっちはそっちであるんですよ、被害者の部屋か、あるいは別の場所か。つまり、ふたつの似た形、似た色のネックレスが存在している」

「それは……」

だが、朱理の部屋は捜索済みだ。同じようなネックレスは発見されていない。そう言おうとした矢先、洗足が振り向いて崖から数歩離れた。玖島も一緒に移動する。

「三人の友人に、現物を見てもらったんです」

前回確認したときはカラー写真を見せた。確かに写真より現物のほうがより確実だろうが、友人たちは写真でもすぐに「アカリのです」と言ったのだ。

ところが、今回は違ったらしい。

――あれ。これだったっけ？

最初に結が首を傾げたと洗足は語る。次に港エリナがよくよくネックレスを見て、

――これだったと思うけど。小花のモチーフで、真ん中だけ小さいダイヤで。

そう言った。けれど結は「もうちょっと可愛い雰囲気じゃなかった？」と考え込み、
そこで知代果が「あ、色」と気がついたらしい。

色合いが違うというわけだ。しかし、と玖島は反論を試みた。

「小さなアクセサリーの色ですよ？　赤っぽいだとかピンクだとか、そういう微妙なところを覚えていますかね？　ただでさえ、人間の記憶というのはかなり曖昧《あいまい》で……」

「石が違ったんじゃないでしょうか！」

「わっ！」

いきなり背後から脇坂の顔がぬっと出て、玖島は驚く。

「女の子、アクセ好きですからね。結構細かいところ見てますよー。もちろんデザインだって大切ですが、同じくらいどんな石と地金を使っているかは要チェックです。それによって値段ぜんぜん違いますし！」

「たまには正しいことを言うね、脇坂くん」

洗足が淡々と褒めると、脇坂は「そんなあ」と照れくさそうにする。もじもじした動きが気持ち悪く、玖島はさりげなく一歩離れた。

「そう。まさしく石が違ったんですよ。同じ花のモチーフで、花びらが宝石になっているものですが、朱理さんのしていたネックレスはピンクサファイアという種類だったそうです」

――似てるけど、アカリのはもっとピンクっぽかったよね。赤っていうよりピンク。

――そうそう、チイ、それだよ。だってピンクサファイアだったんだもん、あれ。ピンクだから可愛い雰囲気だったんだよ。ね、エリナ？

――あ、そっか。これはもっと……赤い……。

エリナの言葉に、結は「うん、ルビーみたいに赤い」と言った。当然だ。あの石はルビーだった。鑑識が確認しているので間違いない。

「では……あのネックレスはいったい……」

愕然《がくぜん》と玖島は呟く。

違う。

石が、違う。

「最初に彼女たちに写真を見せたとき、捜査員は『ルビーのネックレスです』とはっきり言わなかったようですね。だからこんな二度手間になる。『こういうお花の形のネックレス』とかなんとか、その程度の説明だったんでしょう。しかも写真だと色合いは多少違って見えるものです」

もっとも、と洗足がつけ足す。

「違うネックレスだからといって、被害者のものではないと断定はできません。その後、ルビーのものを購入したかもしれない」

「しかし、似たようなものをふたつ持つ必要はないのでは……」

「普通はそう考えます。ですが」

三人のうち、ふたりは講義があって途中で抜けたという。ひとり残ったのは高塚知代果で、やや言いにくそうな顔で切り出したらしい。

——事件にはぜんぜん関係ないと思いますけど……。

——どんなことでもいいですよ。聞かせてください。

——あの。アカリがネックレスをみんなに見せてたとき、エリナが言ったんです。それはピンクサファイアだから、ルビーより安いのよね、みたいなこと。アカリは気にしてないふりしてたけど、一瞬顔が引き攣《つ》ったの、あたしにはわかっちゃって……。

知代果の話では、朱理とエリナは似たもの同士で、似ているがゆえに張り合う傾向があったという。表面上は仲良くしていたが、互いに腹に一物あったようだ。

「うんうんうん、あるある。あります、そういうの」

脇坂が盛んに頷いた。

「女子はそのへん微妙なんですよねー。おニューのアクセを貶《けな》されて、内心ムカッときた朱理さんが、ライバル意識から今度はルビーのネックレスを買う……考えられますよ！　もう一度おねだりしたってこともあるかな」

「すぐ、本部に報告を」

「ウロさんがもうしてくれました。販売店に再確認するそうです」

洗足に言われ、取り出した携帯電話をすぐにしまう羽目になる。どうもこの男がいるとペースが乱れてやりにくい。空咳《からせき》をして、玖島は改めて考えた。

よく似たふたつのネックレス。

両方が朱理のものならば、事態はそう変わらない。だが、もしもルビーのネックレスが朱理のものではなかった場合、犯人のものだという可能性が強くなる。

「犯人がペンダントをしていたかもしれないわけですね。……とすると……実は、朱理さんを誘拐したのは女だった……？」

「それはない。採取された毛髪から、男だとわかっている」

玖島が言うと、脇坂は「あ、そうか」と間抜け声を出した。もっとも、誘拐犯は男だとしても、共犯者に女がいた可能性はある。

「まあ、ネックレスに関してはそういうことです。さあ、廃屋のほうへ行きましょう。……やっぱり山の中は冷えるんだな」

寒いのだろう、洗足は軽く肩を竦《すく》め、雨下駄《あまげた》で歩き始める。廃屋まで、徒歩で七分ほどだ。脇坂の長靴は少し大きいらしく、ガッポガッポと音がした。

厚い雲が垂れ込める雨空の下、廃屋が見えてくる。

「……思ったより、大きい……」

洗足が呟いた。入り口の前で一度止まり、ぐるりと周囲を見回す。それから傘を畳み、脇坂が用意したスリッパに履き替えて中へと入った。

「ふうん。あたしはもっとボロボロの小屋を想像してたんですけどね。それなりに快適に暮らせそうじゃないですか」

「僕もそう思います。こんな別荘もいいなあ」

犯罪現場を別荘にしたいと言う馬鹿にはなにも答えず、洗足は部屋を観察する。廃屋といっても、頑丈な作りの丸太小屋だ。室内は犯人の手によって暮らしやすいように工夫され、各種電化製品や、発電機も設置されている。

「発電機は盗品でした。そのほかのものも購入者をしらみつぶしに当たっていますが……今どきはネットの闇販売で、足がつかない買い物が可能ですからね。なかなか難しい」

「指紋は？」

「採取できませんでした。常に手袋をしていたんでしょう。先程言ったとおり体毛は見つかりましたが、DNAデータベースに該当者はなしです。……被害者がいた部屋はこちらです」

玖島が隣の小部屋へ続くドアを開ける。四畳程度のスペースだ。

「そこの柱に金属の足枷《あしかせ》が残されていました。なにかしら頑丈なものでたたき壊された形跡がありました。バールだとか」

「つまり、他の誰かが足枷を壊した？」

「そう考えられますが……」

いったい誰が壊したのか？　犯人や共犯者が足枷を外してやる理由がない。かといって、朱理に足枷を壊せる道具が入手できたとも考えにくい。

「部屋ですが、このように床張りになっている上に、電気カーペットが敷かれてました。さらにその上に毛足の長い毛布が敷いてあり、部屋の隅には介護用の便器も設《しつら》えてありました。それから筆ペンが一本転がってました」

「なんで筆ペン？　暑中見舞いでも書いてたのかな」

呟《つぶや》いた脇坂を一瞥《いちべつ》し「馬鹿」と洗足が一刀両断する。

「なんで拉致《らち》監禁されて暑中見舞いなんですか。……たぶん、鉛筆かペンの代用品ですよ。先が鋭利なものは持たせたくなかったんでしょう。ペンだの、鉛筆だの。武器にされてもいやだし、自殺されても困る」

「おお、先生、鋭い。でもなぜ書くものが必要なんですか？」

「監禁されていたらヒマですからね。ストレス過多を避けるために、気晴らしのパズル雑誌でも与えられていたんじゃないですか」

「そうか！　玖島さん、そういう雑誌ありましたか？」

「それらしき雑誌の破片が見つかっている。雑誌本体は、犯人が持ち去ったんだろう。助けを求めるメッセージでも書かれていたら困るからな」

「すごい。先生、名探偵だ」

感心しきりの脇坂に、洗足は「あたしがすごいんじゃなくて、きみがヌケサクなんです」と冷たく言った。脇坂がヌケサク阿呆《あほう》なのは玖島も同感だが、筆ペンの話を聞いただけでそこまで推理できる洗足にも舌を巻く。いっそのこと、脇坂の代わりにY対で雇ったらどうかと思うほどだ。

次に洗足は水回り、つまり台所兼洗面台のシンク周りを調べた。ここには風呂《ふろ》はない。隅に立てかけられた盥《たらい》があったので、玖島は「脇坂」と呼ぶ。

「はい。なんです？」

「これだ。これが盥だ」

「はい？　それがどうか？」

笑顔で聞かれる。

忘れている。もう忘れているのだ。おまえが盥がわからないと言っていたから教えてやったんじゃないか。そう説明する気力も失い、玖島は顔を引き攣らせた。

「あ。タライといえばタラコ！　先生、僕このあいだ面白い卵焼きを食べたんですよ」

戻るのか。忘れているくせにそこに戻るのか。もはや呆然《ぼうぜん》とするしかない玖島である。

一方で話しかけられている洗足は、じっとシンク周りを観察しながら「うるさい」と斬って捨てている。作り付けの棚を開けると、細々した物が入っていた。洗足はそれらをじっと見つめ、いくつかのアイテムを小さく呟く。

「ビタミン剤、解熱鎮痛剤、リップクリームにボディクリーム……バラの香りねぇ」

「そのあたりも徹底して調べたんですが、被害者の指紋しか出ていません」

「マニキュアまでありますよ。薄いピンク色だ」

「遺体の爪に塗られていたものと同じだそうです。爪の根本の伸び方からして、最近塗られたばかりだろうと」

鱗田が言い添える。

「ずいぶん、ご丁寧な拉致監禁ですね」

「そうなんですわ。ろくな食事は与えられていないんですが、乱暴に扱われていたわけではないんです。犯人は血糖値まで測定して、被害者の体調に気を配っていた」

「低血糖に気をつけていたということですか」

「らしいですなあ。遺体からは暴行の痕跡《こんせき》もなく、少なくともここに来てから性的な接触はなかったらしいです」

つまり、と玖島が割ってはいる。

「犯人は被害者をお気に入りの人形のように扱っていたんですよ。個人の人格を否定し、自分に都合のいいだけの人形にしていたんです。気味の悪い奴だ」

「そのようですが……だとしたら、なんで殺したんですかね？」

今さらなことを聞かれ、「逃げたからでしょう」と答える。

「経緯はわかりませんが、何者かに拘束を解かれた彼女は逃げ出した。逃げた彼女を被疑者は追った。逃げられたことで頭に血が上り、さっきの崖《がけ》で突き落とした。あるいは、逃げていた彼女が足を滑らせて転落したという可能性もゼロではありませんが……」

「その場合、普通は背中から落ちない。ただし後ずさって足を滑らせたら話は別」

続くはずだった台詞《せりふ》を洗足に言われてしまう。玖島は呻《うめ》くように「そうです」と答えるしかなかった。

ふうん、と洗足が腕を組む。

「いくら頭に血が上ったとしても……自分が大事に痩せさせた彼女を、そうそう突き飛ばしますかね？」

「は？　大事に……なんですか？」

大事に痩せさせた、ですよ——洗足は繰り返す。鱗田がアァと深く頷《うなず》き、脇坂はきょとんとしていた。

「確かに、大事に痩せさせてますなあ。痩せすぎて死んだりしないように気を配り、気晴らしの雑誌を与え、爪をピンクに塗り、ボディクリームを塗り……遺体は高価な肌着……あれ、なんつった、脇坂」

「キャミソールです」

「それを着ていましたが、シルクの高級品でした。奴が用意したもんでしょう」

鱗田の言葉に、洗足が深く頷く。

「朱理さんにとっては悪夢でしかないのですが、犯人は彼女を『大切にしていた』んですよ。目的は殺すことではない。陵辱でもない。ただ、痩せさせてそばに置いておく」

「なんで痩せてなきゃいけないんですかね？　だから《油取り》だなんて噂されるんですよ」

「あのね脇坂くん。そもそも《油取り》はダイエット妖怪《ようかい》じゃないんですよ。ただのネットの噂でしょうそれは」

「あ、そうでした。もともとは子供を攫《さら》う妖怪でしたね。でも噂が広まって、いまやすっかりメジャーなダイエット妖怪に定着しつつありますよ？　だからこのあいだも《油取り》を名乗る人がいたりして」

「……なんだって？」

玖島はつかつかと脇坂に詰め寄り「そんな話は聞いていないぞ」と声を荒らげた。脇坂は明らかに、しまったという顔をしている。

「青目以外に《油取り》を名乗る奴がいたのか」

「いや……その……」

どうしよう、という視線は洗足に向けられていた。洗足は目を伏せ、首をゆっくりと左右に振って「本当にもう、きみは……」と嘆息する。鱗田も事情を知らないようで怪《け》訝《げん》な顔をしている。

「どういうことですか、洗足さん」

「先日、脇坂くんがどうしてもというので、集会の手伝いをしてもらったんです」

洗足がいやいや説明した。

なんでも、それは妖人集会というそうだ。そこへ《油取り》を名乗る者が現れ、受付をしていた脇坂は驚いてすぐに洗足に知らせたと言う。だが、その男は結局、

「《油取り》なんかじゃなかったんですよ。脇坂くんが大騒ぎしてるから、何事かと思ったら……それ以前の問題だ」

あっさりと洗足が言う。上層部がこの妖人に協力を求める理由は、妖人に関する飛び抜けた知識と、人間と妖人を見分けられる特殊な能力があるからこそと聞いている。本当かどうか怪しいものだと玖島は思うが、上の連中は信じているのだ。もしそれが真実ならば、その男が《油取り》ではないというのも本当なのだろう。

「脇坂。おまえ、そんなことしてたのか」

鱗田が呆《あき》れた顔で歳の離れた相棒を見る。脇坂は叱られた子供のように下を向き、洗足は溜息《ためいき》混じりの声を出した。

「ウロさん、言っておきますけどあたしだってイヤだったんですよ。ただマメが涙目で頼むもんだから、今回だけ折れたんです」

「そ、そうなんです。僕が図々《ずうずう》しくおしかけて……あ、ちゃんと非番の日でしたよ！」

「あたりまえだろうが。おまえね、そういうことはちゃんと報告しとけよ」

温厚な鱗田も多少頭にきたらしい、軽く膝《ひざ》を上げて、脇坂を蹴飛《けと》ばすフリをする。もちろんフリだけだったのだが、脇坂は大袈裟《おおげさ》にそれを避けて「すみませんっ」と謝った。

「さて、洗足さん。そろそろいいですかね？」

「……そこの取っ手は？」

洗足が壁の低い位置に、はめ込んだ形になっている取っ手を示した。

「ああ、収納庫ですよ。例のダイエットフードが詰まった段ボールとペットボトルの水が山ほどありました。肝心の伝票は剝《は》がされていましたがね。見ますか？」

「一応」

そう答えるわりには動かない。やれやれと思いながら、玖島は膝を曲げて取っ手の金具を引っ張った。収納庫の扉は、腰の高さ程度まである。

「このとおり、段ボールです」

洗足が近づき、身を屈《かが》める。中は暗く、鱗田が懐中電灯の明かりを入れた。

「……なにか落ちてますよ」

その言葉に、鱗田が顔を収納庫に突っ込むようにして「ああ」と呟《つぶや》く。

「段ボールの後ろ側ですな。おい、脇坂」

はい、と背後に控えていた脇坂がやって来た。

「あれ、取ってくれ」

「えっ。中、埃《ほこり》だらけですよ」

「知っとる。だからおまえの役目なんだよ。一応手袋しろ」

脇坂は眉《まゆ》を八の字にし「ああ、新人はつらい」とぼやきながら手袋をはめた。膝をつき、四つん這《ば》いで収納庫に上半身を突っ込む。

「やだなあ、ネズミとかいませんよね」

「なにビクビクしてるんですか。もっと奥！」

鱗田より厳しい洗足が脇坂の尻《しり》を蹴った。品のいい顔をした茶道家なのに、わりと荒っぽい。脇坂は「あう」と情けない声をたてて、腕を伸ばして段ボールの後ろを探った。

「あった……これじゃないですか？」

まだ尻はこっちに向けたまま、落ちていたものを差し出す。玖島はそれを見て「なんだ」と言ってしまった。よくあるカッターだったからだ。やや大ぶりで持ち手が黄色く、有名メーカーのものである。

「段ボールを開けるときに使われていたカッターでしょう。鑑識が見落としたらしい。指紋は出てこないと思いますが、一応持ち帰ります。大量生産品ですから、犯人の特定には繋《つな》がらないでしょうね」

「あ。そうなんですか」

やっと頭を向けた脇坂が残念そうに言い、玖島が口を広げたビニール袋にカッターを落とした。立ち上がり、膝の埃をパンパンと払う。

「左用」

ビニールのカッターを見て、洗足が言う。

「はい？」

「それ、左利き用カッターですよ。犯人は左利きらしい」

「え——」

玖島は驚き、ビニールの上から右手でカッターを握る。本当だ。丸いダイヤルを回して刃を出す仕組みだが、右手に持つとダイヤルが反対側に来る。これは大きな新事実だ。

鱗田と脇坂も目を見開いている。

洗足だけが冷ややかに、今頃気がついたわけかという顔をしていた。

「……はさみなどは……普通のものだったはずですが……」

「文具のはさみだと、近頃は右利きでも左利きでも使えるユニバーサルデザインも多いからね。洋裁用の裁ちばさみはそういうわけにもいきませんが」

「わあ。先生よく気がつきましたね。僕、自分で握っててもわかりませんでした！」

「うん。きみはそうでしょうよ」

いちいち馬鹿と罵《ののし》るのも面倒になってきたのか、洗足がさらりと受け流す。それからふと目を伏せ、右手の指で顎《あご》を軽く摘《つま》み、なにやら呟き出す。

「……まさか……考えすぎか？　いや、しかし……」

「先生？」

脇坂が首を傾げて洗足を見る。

「偶然にしては——できすぎている」

顎は引いたまま、目線だけが上がった。眉間《みけん》の皺《しわ》はなにを意味しているのだろう。

「どうしたんです、先生。なにができすぎなんですか？」

「《油取り》ですよ、脇坂くん」

その返答に脇坂はぱちくりと瞬《まばた》きをした。

「《油取り》？」

「《油取り》が朱理さんを誘拐したのかもしれない」

「え。でも、《油取り》はいないんでしょう？」

「《油取り》という妖人はいない。でも、《油取り》、来たでしょう。妖人集会に」

「ちょ、待ってください」

両手をパタパタさせて、脇坂は自分の混乱を示した。マンガみたいな動きだ。それにしても、洗足はなにが言いたいのか。ついさっき、妖人集会に来たのは《油取り》ではないと言っていたばかりだ。

「あれは《油取り》なんかじゃないって、先生仰いましたよね？」

脇坂も当然、そこを尋ねた。

「言いましたね」

「なのにいま、集会に《油取り》が来たって」

「正しくは自分は《油取り》だと名乗った男、です。よく考えてみればおかしいんですよ。いま、世間的には悪名高き《油取り》なわけです。いくら妖人集会とはいえ、わざわざ自分でそれを申告しますかね？」

「隠しておけるなら……隠しますなあ、普通は」

鱗田が言い、洗足が「そう。普通はね」と頷《うなず》く。

「彼はなぜ隠さなかったのか。単に気にしない性格だったという可能性もある。けれど、少なくともあたしが見た限り、剛胆なタイプではなかった。お茶の飲み方で、ある程度はわかるんですよ。どちらかというと、神経質な性格ですねあの男は」

「ではなぜ《油取り》なんて書いたんでしょうなあ？」

「ひとつ考えられるのは、強い暗示にかかっている場合です」

「暗示？」

またわけのわからないことを——と、怪訝《けげん》な声を出した玖島を見て「暗示や催眠がある程度有効だということは、ご存じでしょう？」と事前に釘《くぎ》を刺した。

「知っていますが……つまり、誰かが『おまえは《油取り》だ』と暗示をかけたと？」

「可能性はあります。暗示というのは無意識下にかけられた強い命令のようなものです。暗示をかけられている状態ならば、世間体も気にせず、自分の名札に《油取り》と書くのは不思議じゃない」

そして——と洗足は静かに両手を胸の高さまで上げた。右手の人差し指がもう一方の手を示す。

「《油取り》を自己申告した男は、左利きでした」

えっ、と洗足以外の三人が同時に声を立てる。

「え、え、え。そうでしたっけ？」

中でも脇坂の動揺は激しい。この男は当人に会っているのに、まったく気がつかなかったわけだ。刑事としての資質を疑わざるをえない。

「きみ、受付してたくせにわからなかったのかい。自称《油取り》は左手でペンを持ったはずですよ。あたしは黒文字を持つときに気づいた」

「気がつきませんでした……うわあ……」

頭を抱える脇坂を無視し、玖島は鱗田に「いやな符合ですね」と言った。

「だなあ。単なる偶然とも考えられるが……先生、その《油取り》を名乗った妖人《ようじん》の連絡先はわかりますか」

「違います」

「はい？」

聞き返した鱗田に、洗足は「妖人ではない。人間です」と続ける。脇坂がぽかんと阿《あ》呆《ほう》ヅラを晒《さら》していたが、玖島も人のことはいえない顔かもしれない。

人間、だと？

「ちょ……待ってくださいよ洗足さん。妖人集会と言っていたじゃないですか！」

玖島が大声を立てると、うるさげに顔をしかめる。

「妖人集会だけど、人間が紛れ込んでいたんです。脇坂くんがそうしたようにね。あたしはすぐにわかったけど、事を荒立てるのも面倒なので黙ってたんですよ。そいつは《油取り》でもなければ、妖人でもなかった。なのに」

「……なのに、なぜ……妖人集会に来ていたんだろう……？」

ゆらゆらと不安定な声を出したのは脇坂だった。

逆なら、まだわかる。妖人が人間を騙《かた》る。それならわかるのだ。

次第に妖人たちを差別的に扱う空気が強くなっている世の中で、彼らは生きづらさを感じているだろう。心身を傷つけられるケースだってあるはずだ。だから、人間のふりをしたいというのなら、理解できる。だが今回はその反対だ。人間が妖人のふりをする。

なぜだ。そうしなければいけない理由はなんだ？

玖島の背中が粟立《あわだ》つ。ぼんやりと曖昧《あいまい》な、だからこそひどく気味悪いなにかが胸にせり上がってきた。言葉では説明しきれない、嫌な予感だ。鱗田は鼻の付け根をぐりぐりと揉《も》みながら、しきりになにか考えている。脳みそをフル稼働しているときの癖なのだと、同僚から聞いたことがあった。

「てことは、そいつの連絡先や身分証があったとしても、あてになりませんな」

鱗田の声はしっかりしていた。

「が、先生はそいつの顔を覚えているはずだ」

ベテラン刑事は、いつになく強い視線で洗足を見た。洗足のほうは、やや煙たそうに鱗田を見て、それからふいと肩から上を捻《ひね》って視線を外す。

「ええ。覚えてますよ」

似顔絵だって描けるくらいにね……そう言って、醒《さ》めた笑みを浮かべたのだった。

※

騙《だま》されてた。

あたしは騙されてた。

——きみのほうが、ずっときれいだ。ずっとすてきだ。どうしてもう少し早く出会えなかったんだろう？　そうしたら、最初からあの子じゃなくてきみを選んだのに……。

そんなふうに言って、優しくあたしの髪を撫《な》でるから、騙された。

あんな目で見られたら、くらりとこない女の子はいないと思う。あの子の彼だから盗《と》ったというのもあるけど、本当に素敵な人だった。シュンなんか問題にならない。一緒に街を歩くだけで、周りの人があたしたちを振り返って見た。

彼もあたしに参っているように見えた。本当にあたしのほうが好きなら、欲しいものがあるの……そうねだったら、すんなり買ってくれた。あの子のネックレスとよく似た、でも違うネックレス。

ルビーのほうがずっと高い。ピンクサファイアよりずっと高い。あの子には見せなかったし、言わなかった。ざまあみろと心の中で思っているだけで胸がスッとした。清々《すがすが》しい気分だった。あんたの自慢の彼氏は二股《ふたまた》かけてるんだよ。しかも相手はあたしだよ。

あたしのほうが顔も身体もいいってさ。別れを切り出されるのは時間の問題だよ。

カフェテリアで笑いあいながら、心の中でそんなふうに罵っていた。

あたしはあの子が嫌いだった。あたしと似ているところが嫌いだった。

前に、たまたままったく同じブランドの財布を持っていて、笑いながら「お揃いだね」なんて言ったけど、その財布はすぐに処分した。あの子も二度と持ってこなかった。

お互い、嫌いだった。

なのにどうして連《つる》んでいたのかなんてわからない。あたしにだってわからない。

あの子が大学に来なくなって、連絡が取れなくなって、マンションにもいなくて、なにかがおかしいと思ったときには……もうすべてが動き始めていた。

──悪気はなかったんだよ。おまえのこと、本当に可愛いと思ったたし。

彼が笑った。こんな怖い笑い方をする男だっただろうか。

──あいつがどこにいるのか？　さあ。知らない。でももしかしたら、あそこかな。

彼女を監禁するのにいい場所が見つかったって、嬉《うれ》しそうに喋《しゃべ》ってた。もちろんこっちは冗談だと思ってたさ。……あいつ？　さあねえ。たぶん頭おかしいんじゃないの？

ネットのやりすぎかもな。自分のこと、《油取り》だとか言ってたし。ま、俺には関係ないけど。……なに、もう帰るのか？　なら、最後に一回、やらせろよ。

あたしは騙されていた。

あたしはあの子が嫌いだったけど、死ねばいいと思うほどではなかった。

七

サルからヒトへと進化する過程で、ヒトは脆弱《ぜいじゃく》になった。

毛皮に覆われた皮膚を失い、いち早く危険を察知する鋭い聴覚を失い、仲間と縄張りを判別するための嗅覚《きゅうかく》を失った。代わりに得たものは大きな脳だ。ヒトは知恵を絞り、己と家族を守るため、武器を持つようになった。最初に握った石の礫《つぶて》はやがて核兵器にまで発達し、自然界の中で唯一、同種同士で大量殺戮《さつりく》を繰り返す動物となった。

もうひとつ、人には特徴がある。自分自身への探求心がことさらに強いという点だ。自分はどこから来たのか、どのようにして生まれたのか。その問いはやがて遺伝子の発見に繋《つな》がる。自分という人間の設計図がDNA情報だとわかり、さらにヒトはその塩基配列を読み解くことに成功した。一九八五年、電気泳動を使った装置で解読できた塩基は一日にたった千文字。それが二〇〇九年にはシークエンサーの発達により一日十億文字となる。シークエンサーの発達は止まらず、現在ではある程度の金額を用意すれば、一般人でも自分の遺伝子をすべて解析することができるようになった。

そこまでして、ヒトは知りたいのだ。自分が何者なのかを。

だがここへ来て、遺伝情報を調べた結果、自分がヒトではないという結論に達する可能性も出てきている。皮肉なものだなと、芳彦は思う。

妖人DNAを持つほとんどの者は、人間と変わらない身体と機能しか持たない。ごく一部の妖人だけが、ヒトにはない――あるいは失われた能力を持つ。それを突然変異と呼ぶのか、進化と呼ぶのか、または先祖返りと言うべきか。芳彦にはわからないし、どうでもいいことだ。

とにかく自分は妖人として生まれた。その事実を受け入れるだけである。

幸い、芳彦の両親は一族の中に、定期的に異能力者が発現する事実を心得ていたし、それをどう隠し、あるいは生かし、生きていけばいいのかも心得ていた。

――芳彦。主《あるじ》を持ちなさい。

亡くなった父はよくそう言っていた。父には《管狐》としての能力はさほどなかったが、父の祖父、芳彦の曾祖父《そうそふ》は大きな力を持っていたらしい。

――おまえの力は強いようだ。今の世の中で《管狐》の力を自分のために使えば、破滅しかねない。主を見つけて、その人のために使いなさい。その主に仕えることが、おまえの喜びとなるような、そんな人を見つけなさい。

芳彦は父に約束した。主を見つけて、その者のために力を使うと。

《管狐》の能力は優れた聴覚、嗅覚、動体視力、そして均衡感覚と敏捷性《びんしょう》である。これらはみな、人がサルだった頃には持っていた能力だ。

ただし筋力は人並みなので、組み合いの喧嘩《けんか》になると分が悪い。そのぶんを補うため、芳彦は各種武術も嗜《たしな》んでいる。そのへんのチンピラ程度と殴り合いになったとしても、容易に勝てる自信はある。だが、時には気構えが必要な相手もいた。

「へえ。今日は主従お揃いだな」

扉を開け、にやりと笑うこの男がそうだ。

青目甲斐児。

単純に腕力だけを比べれば、芳彦は青目に劣る。それは属性に由来する特性であり、努力したところで覆せない。青目の体格は特別マッチョではないが、格別に強い筋繊維を持っている。その気になればレスラーだってひと捻りだろう。

「《油取り》の居場所は?」

口を開けるなり伊織が言った。

雨脚は強い。湿気を含んだ伊織の髪がぺしゃりと潰《つぶ》れている。その後頭部を見つめながら、芳彦は傘を差し掛けていた。

今日の夕刻、伊織は事件のあった群馬県の山中から戻ってきた。鱗田らとともに、廃屋の見分をしにいったのだ。難しい顔つきで帰ってきたかと思うと、急に青目に会いに行くと言い出した。しかも、鱗田や脇坂にはまだ言うなと強い口調で命じる。なにか厄介な展開になるのを感じ、芳彦は同行を主張した。主をひとりで行かせるわけにはいかなかった。

青目の働くバーは新宿歌舞伎町にあった。

到着したのは午後九時すぎ。猥雑《わいざつ》な街はこの雨だというのに酔客が溢《あふ》れ、濡《ぬ》れながら道ばたで座り込む酔っぱらいもいた。

「挨拶《あいさつ》もなしかよ。いま、営業中なんだがな」

白いシャツに黒いパンツ。襟には、ホックで留めるタイプのボウタイがだらりとぶら下がっている。青目はちらりと芳彦を見て「あんたもご苦労なこった」と薄い唇で笑う。芳彦は返事をしなかった。

「時間がないなら、さっさと答えればいい。《油取り》はどこだ」

伊織が繰り返して聞く。珍しく語調が荒かった。

「そんな妖人《ようじん》はいないとおまえが言ったんだぞ」

「惚《とぼ》けるな青目。おまえが暗示をかけた人物が、拉致《らち》監禁事件に関わっている可能性が高い。このままにしておけば、次の被害者が出るかもしれない」

「なんの話かさっぱりわからねえな」

扉が閉まりかけた。だが伊織がその隙間に雨下駄《あまげた》を突っ込んで阻止する。

「教えろ。《油取り》はどこだ」

退く様子のない伊織に、青目は芝居がかった声で「ずいぶん熱くなってるな」と眉《まゆ》を上げた。

「まあ、入れ。どうせ客はいないし……せっかくの紬《つむぎ》がずぶ濡れだ」

青目が退くと、伊織が先に店内に入った。芳彦も傘を閉じ、軽く振って水滴を落として続く。薄暗い店にはカウンターしかなく、青目の言うとおり客の姿もない。

「言っとくが、十時くらいから混み始めるんだ。ウチは明け方までやってるんでね」

聞いてもいない説明をし、青目はカウンターの中に入る。店内に流れているのは古めかしい雰囲気のスタンダードジャズだった。

「――で？　俺が誰に暗示をかけたって？」

グラスを磨きながら青目が問う。伊織はスツールに腰掛けることなく、立ったままで
「集会に来た男だ」と答えた。芳彦が幹事を務めた、さきごろの妖人集会のことである。

「誰かの紹介がなければ来られるはずがない。それに、偽造の身分証も持っていた。おまえの得意分野だな」

「はは。やっぱりおまえは鋭いね。だが、俺が誘ったわけじゃないぞ。しつこく頼まれたんだ。自分も妖人として、ぜひ集会に行ってみたいってな」

クク、と青目の喉仏《のどぼとけ》が震えた。

「それにな。誤解しているようだが、俺が暗示をかけたわけじゃない」

「では誰がやったというんだ」

「誰でもないさ。あえていうなら、あいつ自身だ。奴と初めて会ったとき、たまたま《油取り》の話が出た。どうやら、それをきっかけに自己暗示が始まったらしい。――奴は勝手に思い込んだ。自分は妖人《油取り》で、女を痩《や》せさせるエキスパートだってな」

伊織はしばらく無言で青目の顔をじっと見つめていた。

常人ならば視線を外してしまいたくなるほどの強い視線を平気で受け止めるどころか、まるで喜んでいるかのように口元を緩ませる。

「……だとしても、おまえはその暗示を強めたはずだ」

伊織の言葉に青目はにやにやと笑うばかりで、肯定も否定もしない。

女を騙《だま》しながら生きている青目甲斐児は、一言でいえば反社会的な性格の男だ。社会のルールや常識、あるいは道徳観。そういったものはこの男にとってなんの意味も持たない。他者を自分の都合で振り回し、平然と傷つけ、裏切り、それでも笑っていられる。

芳彦としては、こんな男が伊織の近くをうろつくのは腹立たしい限りだった。

「その男と、どこで知り合った」

「前に仕事のとき、ダイエットフードを買いに来たんだよ。最初は女だと思ってたんだ。偽名を使ってたしな」

「本名は」

「まだ言いたくないなァ」

もったいぶって青目が薄笑いを浮かべる。

「おまえがじりじりと焦ってる顔なんか、めったにお目にかかれないからな。実に楽しい。おまえ、奴が人間だと気がついてたはずだろ？　ついでにその左目を解放すれば、もっといろいろ見えたかもしれないのになあ？」

「余計なお世話だ」

伊織の声に、僅《わず》かな動揺が滲《にじ》む。封印された左目は伊織にとって、誰にも触れられたくない聖域であり、同時に心の傷でもある。

「ま、とにかく俺は奴を女だと勘違いして、直接買いに来るように仕向けたんだ。口説いてやろうと思ってたのに……やって来たのは冴《さ》えない痩せ男だ」

煙草を咥《くわ》え、青目は「ほんと、がっかりしたぜ」とつけ加えた。

「——誘拐と監禁を唆したのもおまえか」

伊織の詰問に、「まさか」と答え、可笑《おか》しそうに肩を揺らす。

「そんなことしたら犯罪だろうが。男しかいない刑務所になんか入ったら、俺は死んじまう。まあ『痩せさせたい女がいるなら、監禁してダイエットフードだけ食べさせればいい』みたいな冗談は言ったけどな。それを実行するとはこっちだって思わない」

「嘘をつけ」

伊織の右目が眇《すが》められる。

「この男なら本当にやりかねない——おまえはわかっていて、放置した」

青目は襟を立て、ボウタイのホックを留めながら「ちらっと、思ったかもな」と返す。

「自分を妖人だと思い込んでいる人間が、《油取り》になりきって女を誘拐する——面白いじゃないか」

「これっぽっちも面白くない」

「そうか？　おまえとは感性があわなくて残念だよ、伊織」

「ふざけるな。人ひとり死んでいるんだぞ」

「ああ、それな」

咥え煙草でカウンターを拭《ふ》き、青目は眉をひょいと上げる。

「阻止しようとしたんだぜ。俺は優しい男だからな」

どこが、と思った芳彦はつい鼻で「フン」と嗤《わら》ってしまった。じろりと青目に睨《にら》まれたが、そっぽを向いて無視する。

「あんたの手下は相変わらず失礼だな」

「芳彦は手下ではない。家令だ。……阻止とはどういうことだ？」

「奴は俺にすっかり気を許していたんだ。監禁にふさわしい廃屋を見つけたときも嬉々《きき》として報告したよ。東京から通える距離で、まず人に見つからない場所だってね」

けど、とダスターをシンクに放り込む。煙草の灰が袖《そで》に落ちて、青目は面倒くさそうに手で軽く払った。

「それでもまだ実行するかどうかは怪しいと思ってた。妄想で終わるってことはあるだろ？　だが、そこにいよいよ女の子が連れ込まれたとわかって、一応、助けに行かせた……救出は失敗したらしいけど」

「らしいとはなんだ」

「俺が自分で行ったわけじゃない。死んだ子の友達に場所を教えてやった」

カタ、と音がした。

伊織がスツールに手をついたのだ。無言のまま、額に手を当ててなにか考えている。前髪が上がって、縫い付けられた左目が露出していた。青目はその左目をじっと見つめている。

「……港エリナか」

伊織の問いに「ご明察」と笑う。

被害者には大学に親しい友人が三人いた。エリナはその中のひとりだったはずだ。意外な結びつきに、芳彦も内心で驚く。

「――人間てのは、不思議だな？」

カウンターに身を乗り出し、青目は伊織の顔を覗《のぞ》き込むようにした。ふたりの接近を嫌い、芳彦はズイと両者のあいだに立ちはだかる。

青目が通常より尖《とが》った犬歯を見せ「心配性の家令め」と嗤った。

「べつに取って食いやしねえよ。……あの子ら、友達といっても内心は違っていたらしいぜ。俺もよく悪口を聞かされてた」

青目はカウンターにグラスをひとつ置き、ウイスキーをなみなみと注いだ。

「なのに、助けに行くかと聞いたら『行く』と答えた。警察に知らせてもよかったのに、そうしなかった。自分だけで行ったのはどうしてだろうな？」

伊織は目を伏せたまま、なにも答えない。

「ひとつは、犯人が廃屋にいない時間帯を俺が教えたからだろう。自分まで監禁される危険性があったら、さすがにひとりで行きゃしない。だが他にも理由がある……わかるだろ、伊織」

ゆっくりと伊織の瞼《まぶた》が上がった。静かな視線が青目を捉《とら》え、冷たく光る。

「優位に立てるからだ」

乾いた声がそう答えた。

「命の危機に晒《さら》されてる友人を助ければ――一生自分に頭が上がらない。ずっと優位に立てる。そう思ったから、彼女はひとりで行ったんだろう」

「ご明察。怖いねぇ、女の子は」

楽しげに言い、琥珀色《こはくいろ》の酒をまるで麦茶のように飲み干す。

「被害者の子は崖《がけ》から落ちたんだろ？　ってことは、少なくとも廃屋からは出られたわけだ。なのに逃げ切れなかった……どうしてなのか俺に聞くなよ？　なにがあったのか俺は知らない。興味もない」

「――ネックレス」

伊織が自分の喉元《のどもと》に手を当て、呟《つぶや》く。青目は新しい煙草を咥え、ポケットからライターを出しながら「え？」と聞き返した。

「おまえ、港エリナにネックレスを買ってやったな？　ルビーが花の形になっている」

「へえ。さすがだな。そこまで調べてあるのか」

「べつに調べちゃいない。ただ、持ってただけだ」

「持ってた？」

「被害者が持ってた。……手の中に握って死んでいた」

青目が目を見開く。シューと電子ライター独特の音がしているが、火をつける様子はない。やがてライターの音が消え、同時に「クッ」と引き攣《つ》るような声が聞こえた。

「なんだ。そういうことか……くっ……」

カウンターの端を摑《つか》み、青目が笑う。

「監禁したのはあの男だが、殺したのは奴じゃないのか……はは……ははは、こりゃ驚いたな。助けに行ったのに……助けに行ったはずなのに、なんだってそんなことになるんだ？　ははは、これだから人間ってのは楽しいや」

腹を抱えんばかりに笑う青目に、伊織の腕が伸びた。胸ぐらを摑み、カウンター越しにぐいと引き寄せる。ふだんは静謐《せいひつ》な瞳《ひとみ》の奥で炎が揺らめき、青目を強く睨みつけた。

「笑うな」

「……おお、怖いな」

口先ばかりで言い、にやつきながら青目はされるままになっている。芳彦は内心で冷や冷やしていた。その気になればいつでも伊織を突き飛ばせるがゆえの余裕だ。

「朱理さんを監禁した男の名前を教えろ」

「伊織。なぜおまえは警察の犬をする？」

「名前を言え」

「おまえが刑事と連《つる》んでいるなんて、俺は悲しいぞ。人間に媚《こ》びてどうする。そんなに特例妖人《ようじん》待遇が欲しいのか？　おまえがその左目をさらけ出せば、怖いものなんかないだろうが」

「青目」

低く唸《うな》るような声に、青目は「わかったわかった」と両手を降参の形に上げる。

「矢口《やぐち》だ。矢口薫《かおる》。住所は江東区《こうとう》森下《もりした》。番地までは覚えてない」

伊織は青目を乱暴に離し、細い手首を軽く振りながら「芳彦、ウロさんに電話を」と言った。伊織も携帯電話を持ってはいるが、ほとんど家に置きっぱなしなのである。青目は襟を直しながら「乱暴な先生だぜ」と嘯《うそぶ》く。

芳彦が携帯電話をかけようとした矢先、ポケットの中から振動音が響いた。取り出して発信者を確認すると、鱗田になっている。

「鱗田さんです」

いいタイミング——と喜ぶわけにはいかない。よほど緊急でなければ、この刑事は携帯に電話をかけてこないのだ。伊織もそれを知っているので顔つきを険しくする。

「夷です」

電話に出る。

鱗田はまず『先生はご一緒ですか』と聞いた。

夷がそうだと答えると、ひと呼吸置いて『池田中央病院にすぐに来てください』と続ける。病院という言葉に、芳彦は背中が強《こわ》ばるのを感じた。伊織を見て、電話を耳から離しスピーカーボタンを押す。

『《座敷童《ざしきわらし》》が刺されました。重篤です。――先生を、呼んでいます』

刹那《せつな》、伊織が息を止めたのがわかった。

第一報は、午後八時四十七分だった。

携帯電話から若い女の声で『知り合いが誘拐されて、子供が死んでいる』と一一〇番が入った。

通報者は高塚知代果。

その名前を聞いたとき、鱗田はすぐに気がついた。武藤朱理の友人だ。

誘拐されたというのは高塚のバイト仲間である永田《ながた》繭美、二十九歳。知代果は繭美のアパートで一緒に夕食を食べ、八時すぎに帰ったのだが、途中で忘れ物をしたのに気がついて、引き返したという。

その間の二十五分ほどで、悲劇は起こった。知代果と犯人はほとんど入れ替わりだった。アパートの下に車が停まっており、男が女性を抱えるようにして歩いているのを見た。雨だというのに、傘もさしていないので、余計目に止まったと知代果は話した。

——男の人と一瞬目があって……どこかで会ったような気がしたんです。でも、なんだか慌てた感じで女の人を車に押し込むみたいにして行ってしまって。

車のドアが閉まったあと、助手席の女が顔を上げた。

暗がりだったが、口にガムテープが貼られているのがわかって、知代果は背筋が凍ったという。しかも、その女は繭美に似ていた。まさかと思いながら、アパートの階段を駆け上った。繭美の部屋のドアは開いたままで……中には男の子がひとり血まみれで倒れていたのだ。

鱗田は車の中で眉間《みけん》を揉《も》む。

畳にべったりとついた鮮やかな赤がまだ脳裏にこびりついている。繭美のアパートで倒れていた子供は妖人だった。身分を証明するものは持っていなかったが、ポケットの中に小さな半券があった。それには『お抹茶券』と書かれ、端のほうに小さく第七回妖人集会と入っていた。そしてY対に連絡が入り、鱗田と脇坂が駆けつけたわけだ。

「……っ……」

鱗田の隣で脇坂が目を真っ赤にしてステアリングを握っている。涙を零《こぼ》すまいと必死に堪《こら》えているのだ。ここは見ないふりをするのが武士の情けだろう。

脇坂のおかげで、この妖人が《座敷童》であり、洗足と関わりがあることがすぐにわかった。《座敷童》は虫の息で何度か「せんせい」と口にした。救急車に乗るまで、かろうじて意識はあったのだが、そのあとはどうなったかまだ連絡はない。取り急ぎ洗足に知らせようと、家令の夷に電話をした。

電話はすぐに終わったが、直後夷から再びかかってきた。

江東区森下在住の矢口薫という男が、武藤朱理を拉致《らち》した可能性が高いという。また、繭美を連れ去った男の顔は、かつて朱理が紹介した男に似ていたと、知代果が証言している。

つまり――繭美を連れ去ったのは、矢口だという可能性が高い。

矢口の自宅はすぐにわかった。鱗田たちはそこへ急行している最中なのだ。矢口は自分の身元が割れたことをまだ知らない。繭美をどこで監禁するつもりかわからないが、自宅へ連れ帰っている可能性も高い。

「ウロさん」

脇坂の声は少しだけ震えていた。

「なんだ」

「あの子、助かるでしょうか」

鱗田は迷った。数々の現場を見てきただけに、どれだけの失血があれば危ないか鱗田にはわかっている。《座敷童》の失血はあまりにも多すぎた。

期待を持たせれば、あとがつらい。脇坂は何も答えず、喉奥《のど》から絞るような音を零す。

「だめかもしれん」

「だが今はそんなことを考えている場合じゃない。おまえは刑事なんだ。連れ去られた女性を助け、矢口を確保することだけ考えろ」

「はい」

「びびるなよ。一課の連中もいるんだ。Y対の意地を見せろ」

「はい……っ」

スン、と鼻の下を擦《こす》り、脇坂が声を張った。

ほどなく、矢口の自宅近くに到着する。車は少し離れた場所に停め、そこからは徒歩で進む。矢口の駐車場にあった車は、色、ナンバーとも知代果の見たものと一致していた。捜査本部から緊急逮捕の命が下りる。

応援の警察官が裏口や大きな窓付近に、退路を塞《ふさ》ぐように配置される。

玄関には一課の玖島と相棒の岬《みさき》刑事が立った。岬は愛嬌《あいきょう》のある顔をした大柄な女性で、柔道黒帯、交通課勤務時代にひったくり三人、強盗二人、痴漢一人を投げ飛ばしている猛者《もさ》だ。

鱗田と脇坂は、インターホンのカメラから死角になる位置に立ち、様子を窺《うかが》う。

岬が呼び鈴を押す。インターホン越しに『どなたですか』と誰何《すいか》される。岬は愛想のいい声で「夜分申しわけありません。警察の者です」とカメラに身分証を向けた。

「この近くで女性の悲鳴を聞いたという通報がありまして。ちょっとお話を伺ってもよろしいでしょうか？」

『……ああ、そうなんですか。お待ちください』

ここで応対を拒絶すれば怪しまれるだけだと考えたのだろう、矢口は素直に玄関ドアを開けた。ドアノブを握っているのが左手なのを鱗田は確認する。顔色の悪い、どこか気の弱そうな、それでいてひどく神経質な雰囲気の男である。

横で脇坂が「あいつです」と囁《ささや》いた。集会に来た男です、間違いありません、と。

「どうも、ご苦労さまです」

矢口は喋《しゃべ》ると、口の端がヒクッと痙攣《けいれん》した。笑おうとして失敗したのかもしれない。

ええ、と岬が頷《うなず》く。玖島の視線は玄関の奥、家の中を探ろうとしていた。だが、廊下の突き当たりには扉があり、そこから先はまったく窺えない。人の声や物音も聞こえてこない。

「なにか、事件でも？」

「ついさっき、女性の悲鳴が聞こえたらしいんですがお聞きになりましたか？」

「いいえ。私は気がつきませんでした」

「暴漢に襲われたのかもしれません。犯人がこのあたりのお宅に逃げ込んだ可能性もあります。ちょっと中を拝見してもよろしいでしょうか？」

「うちには誰も来てませんよ」

笑いながら男は言った。額がてらてらと光っているのは、脂汗をかいているからだ。

「申しわけありませんが、他人に家の中を見られるのが苦手なんです。散らかっていて恥ずかしいですし」

「ですが、安全を確認しませんと」

「いえ。うちは戸締まりをしっかりしていますから。……お引き取りください」

慇懃《いんぎん》に言い、扉を閉めようとする。岬は「待ってください」と大きな身体をグイと割り込ませた。厚い胸板の上に豊満なバストがあるので、かなりの横幅だ。矢口が初めて不服げな顔を見せた瞬間、どんっ、と音がした。

その場にいた全員が、その音に反応して顔を上げる。

ほんの短い間の直後、矢口は岬を突き飛ばした。強引にドアを閉めようとしたが、それより僅《わず》かに早く、まるで猫のように身体を滑り込ませた者がいた。

脇坂だ。鱗田は呆気《あっけ》にとられた。

こんなに素早く動ける男だとは思っていなかったし、指示も待たず、勝手に被疑者宅へと入っていったのにも驚いた。だがいつまでも驚いてはいられない。脇坂を追って家の中に入る。矢口はなにかキーキーと叫びながら、岬と玖島にがっちりとホールドされていた。

「女性がいます!」

脇坂の声がする。廊下の奥、浴室からだった。

駆けつけてみると、両腕と両脚をガムテープでぐるぐる巻きにされた女性が浴槽に寝かされている。口と目もガムテープで塞がれ、髪を振り乱しながらもがいていた。さっきの音は必死にバスタブを蹴《け》った音だろう。

「大丈夫、警察です。もう大丈夫ですから」

脇坂が女性を抱き起こして言い、口のガムテープを剥《は》がしてやった。唇の皮が切れ、血を流しながらも、ハアハアと空気を貪《むさぼ》る。

「永田繭美さんですね？」

鱗田の問いに震えながらも頷く。まだまともに喋れる状態ではない。

まず両腕のテープを剥がし、それから足を解放してやる。目に貼られたガムテープは無理に剝がせば眉毛《まゆげ》や睫毛《まつげ》がすべて抜けてしまう。脇坂が濡《ぬ》らしたタオルで湿らせながら、慎重に剝がした。テープの圧がなくなると同時に、繭美の目からどっと涙が溢《あふ》れる。恐ろしかったのだろう。腰が抜けてしまっていて、なかなか立てない。

「その女に触るなッ！」

聞こえて来た怒号に、繭美がヒッと喉を引き攣《つ》らせた。

後ろ手に手錠をかけられた矢口が鬼のような形相で浴室の入り口にいた。すぐに玖島がその身体を確保したが、矢口はまだ暴れようとする。

「お、お、俺の母さんに触るな！」

母さん？

こいつはなにを言っているのだろうか。

「や、痩《や》せ、痩せたら、母さんになるんだ。母さんみたいに痩せて綺麗《きれい》に……ちゃんと、上手に痩せられるから」

今度は泣き始める。目は血走り、髪はぶわりと地肌から浮き上がり、こめかみの血管がヒクヒクと痙攣している。あきらかに錯乱状態だ。

「俺は《油取り》だから、大丈夫なんだ。う、うまくいくから。もう目を離さないから！　このあいだみたいに失敗しないから！」

繭美は戦《おのの》き、脇坂に縋《すが》った。脇坂はしっかりと繭美を抱いて「大丈夫です。あいつは連れていかれます」と落ち着いた声を出した。それと同時にどやどやと警察官が入ってきて、矢口を取り囲み、押さえ込む。

「お母さん！」

悲鳴のような叫び声だった。

「お母さん！　お母さん！　お母さんッ！」

喉が裂けるのではないかというほどの絶叫に、繭美は耳を塞ぐ。

鱗田は顔をしかめ、脇坂は繭美を抱いたまま風呂場《ふろば》のタイルを睨《にら》みつけていた。なにかに怒っているような、かつ泣き出しそうな新人の肩を軽く叩《たた》く。脇坂はまるで自分に言い聞かせるように、もう一度「もう大丈夫ですから」と言った。

鱗田の携帯が鳴る。

《座敷童《ざしきわらし》》を搬送した病院に待機する刑事からだった。五分前、息を引き取ったと報告された。洗足たちに見守られて逝ったそうだ。

すでに明確な意識はなかったが、掠《かす》れた吐息で歌を歌っていたという。

鱗田は「わかった」と言って電話を切った。

脇坂に教えるのはあとにしようと思った。少なくとも繭美の前で泣かせることもあるまい。せっかく歯を食いしばり、頑張っているのだ。

こいつも刑事になりつつある。

鱗田はそう思い、嬉《うれ》しいと同時にやるせない気分になる。悲しみと痛みを幾度も経験しなければ、一人前の刑事にはなれない。これから脇坂は何度でもそんな思いをするのだろう。

鱗田自身が、そうだったように。

おか　あさん

　　　　な　あに

　おかあさんて　いいによい

　　おりょおりしていた　によいでしょ

　たまごやきぃの　によいで…………

※

あたし、びっくりしちゃって。

本当にびっくりしたんです。女の人の顔が見えて、目と口にベタッとガムテープが貼られてて、もう怖くて怖くて……。目が隠れてると、人間の顔ってよくわからなくなるんです。だからそのときすぐに、繭美さんだとはわからなくて。暗かったし。でもいやな予感はありました。そういう勘みたいなの、あたしちょっとあるみたいで。だから急いで部屋に行ったら……今度は小さい男の子が血まみれになってるし！

あの男の子、亡くなってしまったと聞いて悲しくて……。

あ、人間の子じゃないんですか？　妖人《ようじん》？　実年齢はもっと上……？　そうなんですか。よくわからないけど、でもとにかく可哀相でした。あれでしょ？　繭美さんを助けようとしたんですよね。はい、以前から繭美さんのことは知っていたみたいです。懐いてました。お母さんっぽく、思っていたのかもしれないなあ。

……え。あ、はい。そうです。監禁されて殺された武藤朱理さんも友達なんです。ええ、大学の仲良しで。いつも一緒にランチしてたのに。自分の身近な人が立て続けにこんなことになって、なんかもう、ほんとびっくり。危ないですよね。《油取り》には気をつけなきゃいけないですよね。

……え、違う？

犯人は妖人じゃなくて人間？

そうなんですか？　ふうん……でも、どっちにしろ、ダイエットとかあんまり気にするのはよくないですよ。自分が太ってるから言うわけじゃないけど、健康ならそれでいいと思うんです。病気で太れない人だってたくさんいるんだもの。ねえ？

とにかく事件が解決してよかったです。アカリが死んでしまったのは本当に残念で、悔しくて、悲しいけど、繭美さんが助かってホッとしてます。犯人が捕まったんだから、もうこんなことは起きないんだろうし。なんであんな真似したんでしょうね？　女の子を無理に痩せさせて、なにが楽しかったのかしら。あたしにはぜんぜん理解できません。

それに……。

あ。そうですか。もういいです？

はい。はい、どうもお疲れ様でした。ええと、これってニュースで流れるんですか？

あ、違うの？　午後のトーク番組？　あ、はいはい、知ってます。司会者の人、結構好きなんですよ。時間教えてください、録画したいので。

だってほら、テレビ出るなんて初めてだし。

ちょっとした記念っていうか。ね。

八

ざんざんと雨が降っている。

強い雨は線になって空から落下し続け、身体に当たると刺さるような気がする。暦はじきに七月だ。天気予報では西から晴れてきていて、東京もそろそろ梅雨明けが近いなどと言っていたが、本当だろうかと脇坂は思う。

雨の中、洗足の家へ向かっている。

深夜だ。

いや、夜明けが近いくらいの時間だ。いずれにせよ他人の家を訪問する時間ではない。それでも脇坂は歩みを止めなかった。

矢口が捕まってから、丸一日が経っている。

わかったこともあった。まだわからないこともある。脇坂はずっと警察署に詰めていた。鱗田からは帰って休めと言われたが、とても眠れそうになかった。今回の事件は、洗足がいなければもっと長引いただろう。少なくとも、繭美が助かったのはあの時点で洗足が矢口の居場所を教えてくれたからだ。

いろいろと報告しなければならない。聞きたいこともあった。

事件は解決に向かっているはずなのに、脇坂はまだぼんやりとした闇に包まれていた。灰色に澱《よど》んだ闇はしつこい静電気のように身体に纏《まと》わりつき、幾度振り払っても離れてくれない。なにかがおかしい。なにかが変だ。まだ事件は終わっていない——そんな気がするのだ。

洗足邸の玄関は小さな明かりが点《とも》っていた。まるで脇坂が来るのを知っていたかのようだ。

「ごめんください」

声をかけるとすぐに引き戸が開く。これもまた、脇坂の足音が聞こえたかのようなタイミングだった。家令の夷が静かに頭を下げて「お待ちしていました」と言う。

「え」

「おそらくいらっしゃるだろうと、主《あるじ》が。まずこちらへどうぞ」

最初に洗足と会った八畳間の隣に、三畳ほどの小間があった。そこへ通されてしばらく待つと、今度はマメがやって来る。

「あ」

なにか言わなければと思って、だが言葉が出ない。

マメの目は真っ赤に腫《は》れていた。《座敷童》の死を悼み、たったいままで泣いていたのがわかる。脇坂もつられて泣きそうになったが、奥歯を噛《か》んで堪《こら》えた。

マメは正座をして深々とお辞儀をし、脇坂も同じようにする。

もう少し日にちが経てば、ふたりであの子のことを話せるだろう。だがいまはまだ無理だ。お互いにそれはわかっている気がした。マメは雨に濡《ぬ》れたスーツを拭《ふ》くためのタオルと、まっさらの白い靴下を畳の上に置いた。

「靴下を履き替えて、妖琦庵にお越しください」

そう言うとまた深く礼をして行ってしまう。脇坂は靴下をじっと見て首を傾げていたが、やがてふと思い出す。茶室に入るときは必ず白足袋《しろたび》を履くのが礼儀だと、どこかで聞いたような気がする。白い靴下はその代用なのだろう。

――特別な茶室なんだ。めったなことでは入れん。

以前、鱗田はそう言っていた。その茶室に招待されたのだ。ふだんの脇坂ならば舞い上がっていたことだろう。だがいまは違う。少し怖い。

ひとつの予感があった。妖琦庵に、真実がある。

具体的に言えば、妖琦庵の亭主である洗足伊織がすべてを知っている。まるで探偵のようなあの男は、脇坂に真実を告げるため呼んでいるのだ。

ざんざんと雨が降っている。

その音をしばらく聞いてから、脇坂は靴下を替えた。

小間を出ると夷が待っていて「こちらからどうぞ」と案内される。濡れ縁から庭へ降りるようだ。靴を履いているあいだ、夷が傘を差しかけてくれた。

「この傘をお持ちください。妖琦庵には蠟燭《ろうそく》の明かりしかありません。気をつけて」

「……あの。僕はお作法がまったくわからないんですが」

心配要りませんよ、と夷が少し笑う。

「主が示した場所に座り、ただお茶を飲めばいいのです」

「はい」

傘を借りて、中庭を進む。番傘というのだろうか。竹の軸とたくさんの骨でできている。雨が傘をばらばらと叩《たた》く。敷石を踏み、脇坂は一歩ずつ進む。ほんの小さな庭なのに、やけに妖琦庵が遠く感じる。離れの茶室は雨に濡れ、闇に沈み、どっしりと黒い。軒があるので、沓脱石《くつぬぎいし》に雨は当たらないようだ。脇坂は少し躊躇《ためら》い「失礼します」と声をかけてから妖琦庵の中へ入っていった。

暗い。

くらりとするほどに暗い。

座敷が何畳なのかもわからない。外観から察して、それほど広くはないはずだ。おそらく四畳半程度だろう。蠟燭が数本、燭台《しょくだい》の上で炎を揺らしている。

その一本の近くに洗足がいるのはわかった。

だが顔までは灯《あか》りが届いていない。襟元から下、膝《ひざ》くらいまでが茫洋《ぼうよう》と闇に浮かんでいる。無言のまま、すっ、と右手で自分の正面を示した。そこに座れということなのだろう。脇坂は畳の縁を踏まないように足先で探りながら、指示された場所に正座した。

さあさあと雨が降っている。

母屋にいるより、柔らかな音に聞こえるのは屋根の違いだろうか。微《かす》かな衣擦《きぬず》れの音の中、洗足は点前《てまえ》をした。目が闇に慣れてくると、室内の様子が少しはわかる。床の間には掛け軸と花が飾ってあった。花が紫陽花《あじさい》なのはわかったが、軸の文字までは暗くてわからない。あるいは、明るくても脇坂にはわからなかったかもしれない。

ふくさ、というのだろうか。小さな布きれを扱う手つきはまるで流れるようだった。やがて茶筅《ちゃせん》の軽やかな音が響き、脇坂の前にぽってりとした楽茶碗《らくちゃわん》が置かれる。置かれたはいいが、どうやって飲めばいいのだろうか。三回廻《まわ》すのだろうか。いや、二回だったか。

「好きに飲みなさい」

洗足の声がした。脇坂は「はい」と恐縮して身を縮ませ、茶碗を両手で持つ。器を大切に扱うべきだというくらいはわかっていた。

両の手のひらが、じんわりと温まる。

雨に濡れ、自分の身体が冷え切っていたことに初めて気がついた。暗がりの中、陶器のくれる優しさが身に染みる。抹茶の馥郁《ふくいく》たる香りが鼻腔《びこう》を擽《くすぐ》り、自然と飲みたい気持ちがわき上がった。苦いばかりと知ってはいるが、それでも脇坂は茶碗に口をつけた。くちびるに触れる感触もまた、柔らかい。

温かな茶が舌に載る。

喉《のど》に流れ、胃に落ちる。

苦くなかった。それどころか甘く感じた。確かに抹茶の味なのに、甘かった。

とても優しく、脇坂を慰めた。

「……っ」

頬が濡れる。

張り詰めていた気持ちがふいに撓《たわ》んで、制御できなかった。

ここを訪れる前に寄った病院で見た、《座敷童《ざしきわらし》》の顔が思い出される。ひんやりとした霊安室で、小さな身体は眠っていた。白い白い顔だった。ほんのりと赤い頬は失われていた。最後に歌ったのは『おかあさん』という童謡だったと聞いた。

「僕が……言ったんです」

涙が次々に流れ、パタパタと膝に落ちる。

「お母さんみたいに思ってもいいですかと……そう聞いてみればいいって、《座敷童》に言ったんです。だから《座敷童》は繭美さんに会いに行って……それで……」

「きみのせいじゃない」

洗足の声が闇を揺らす。

「きみがそう言わなくても、あの子は会いに行ったはずです。現に何度も行っているのだから」

「でも、昨夜じゃなかったかもしれない。違う日だったかもしれない。そしたら死なずにすんだんです」

「だとしても、もし《座敷童》が昨日あのアパートを訪れていなかったら、繭美さんが助かることもなかったんですよ」

「それは……そうですが……」

ポケットからハンカチを出し、脇坂はゴシゴシと顔を拭いた。さぞみっともない顔になっているだろう。ここが明るくなくてよかったと思う。

「《座敷童》は繭美さんを助けた。それはあの子の本望だったはずです」

「じ、自分が死んでもですか」

たぶんね——と、洗足は脇坂が畳に戻した茶碗を手にした。もう一服点《た》ててくれるらしい。

「脇坂くん。ひとつ教えてあげましょう。流浪する妖人《ようじん》である《座敷童》が、特定の人間に執着するというのはとても珍しいことなんです。あたしはあの《座敷童》を昔から知っているが、こんなことは初めてだった」

「そう……なんですか」

「あの子は、たぶんあたしより、年上だったはずです。きみみたいな若造よりずっと経験も豊かで賢かった。その《座敷童》が無謀にも人間に食ってかかったわけですから……並大抵の覚悟ではなかったんでしょう」

「お母さんになってほしいと……」

まずい。また涙が零《こぼ》れてしまう。喉奥に力をこめて脇坂は堪《こら》える。

「そう言ってました」

「お母さん、ね」

コッ……と柄杓《ひしゃく》がどこかに軽く当たる音がした。脇坂は鼻の下を拭《ぬぐ》って居住まいを正し、改めて「ご報告があります」と申し出る。

洗足は静かに聞きましょう、と返した。

「矢口薫は、武藤朱理さんの拉致《らち》監禁を自白しました」

返事はない。

ただ湯を茶碗に移す湯気がゆらりと見える。

「動機については——痩《や》せさせたかったからと言っています。殺すつもりはなく、ただ痩せさせたかったと。母のようにしたかったと繰り返しています。精神的にかなり不安定な状態なので、論理的な説明は難しいようでした。今日の午後、矢口の父親がやっと署に来て……矢口の母親について話してくれました」

両親が離婚したのは矢口が十一歳のときだという。

それ以前も冷え切った関係が続いていたらしい。父親が話すことが事実だとすれば、母親は自己愛が強く、我《わ》が儘《まま》で自己中心的、また外見をひどく気にする女性で、痩せていて美しくなければ生きる資格すらないという強迫観念に囚《とら》われていたという。

「結婚前はモデルをしていて、以前から極端なダイエットをする傾向はあったようです。家の中に菓子を置かないどころか砂糖まで隠しておくという徹底ぶりで、料理も可能な限り砂糖と油は控えていたようですね。当時、矢口家は家政婦を雇っていたんですが、炊事だけは絶対にさせなかったと聞いています」

――本人は好きでやっているからいいようなものの、薫が可哀相で見ていられませんでしたね。母親にべったりの子でしたから、唯々諾々と従って……甘い物が食べたい盛りだというのに飴玉《あめだま》ひとつすら、めったに口にできないんですよ。

ぐったりとした口調で父親はそう語った。

――妻は過食と拒食を繰り返すようになり、精神的にも不安定になりました。自分も食べないのだから、息子にも食べさせない……そんなふうですから、薫もひどく痩せた子供でした。ですが、私に妻を詰《なじ》る資格はありません。だんだんおかしくなっていく妻を見ていられなくなって、あの家から逃げたのは私です。息子のことも置き去りにしました。私が引き取っていれば……今回の事件はなかったかもしれない。

矢口家は裕福だったが、その息子はまともな食事すら摂《と》れなかったのだ。これはもはや虐待といえる状況だが、児童相談所への通報記録は残っていない。それでも当時の担任教師は不審に思い、何度か矢口家を訪れている。だが、そんなときだけは母親はいたって普通の素振りをし「食の細い子なんです」と微笑んでいたそうだ。また、矢口自身もちゃんと食べているのに太らないと話していたらしい。母親を庇《かば》っての発言だろう。

「近所の人に話を聞けました。矢口の母親は確かに美人だったようですが、次第に幽鬼のように痩せてしまい、引きこもるようになったようです。亡くなったのは矢口が十四歳のときですね。葬儀では棺の蓋《ふた》が開けられることはなかったと……」

どれほど痩せ細っていたことか。そしてそれでも――息子から見れば美しい母だったのだ。唯一無二の存在だったのだ。

「矢口は……理想の女性を作りたかったのではないでしょうか」

脇坂は洗足を見て言った。顔がわかるほどに目は闇に慣れてきたが、いつもの淡々とした表情で茶筅を回している。

「彼にとって理想の女性とは、つまり母親だった。だから女性は痩せていなければならなかった。それも極端なほどに。そして」

脇坂は一度言葉を止める。

自分の前に茶碗が出されたからだ。静かに一礼してから、再び茶碗を取る。今度はさきほどよりも、いくらか落ち着いた心持ちで飲むことができた。口溶けの感触を楽しむ余裕もあり、ますます美味《おい》しいものに感じられる。

「そして、女性を無理にでも、それこそ脂を絞るように痩せさせるのだから、自分は《油取り》なる妖人なのだという暗示にかかった――きみはそう言いたいわけですね？」

洗足が脇坂の言いたいことをすべて言ってくれた。茶碗を丁寧に置き、深く頭を下げて「ご馳走《ちそう》様でした」と言ってから「そうです」と顔を上げる。

「矢口が母親に固執していたのは間違いないと思います。母親の写真を見て驚きました。繭美さんと似ているんです。体重を落として濃いメイクをしたら、たぶんそっくりになります」

「それが狙われた理由というわけですか……朱理さんは？　やはり母親に似ているんですか？」

いいえ、と脇坂は答える。

「朱理さんは似ていません。SNSで知り合い、最初は互いに顔も知らなかったわけですから。……これは僕の想像にすぎませんが、知り合った当初は普通に交際するつもりだったんじゃないでしょうか。矢口が《油取り》の妄想に囚われることがなければ、いつかは斎藤という偽名を捨て、本当の自分を朱理さんに見せていたのかも……」

脇坂の声は次第に小さくなった。自分でも甘いことを言っていると思ったからだ。だが洗足は脇坂の発言を嗤《わら》うことなく、ただ静かに続きを待っている。

「……父親によれば、矢口は他人と関係を築くのを苦手としていました。学歴は高いのですが、そのぶんプライドも高く、人間関係のトラブルで職場を何度か変えています。近年は仕事もせず、父親からの仕送りで暮らしていたようです。引きこもりに近い暮らしぶりが、彼の精神状態を追い詰めていった可能性はあると思います」

あの大きな家にひとりで住む孤独の中で、矢口はなにを思ったのだろう。

母親に会いたいと——そう思ったのではないだろうか。

「朱理さんは『痩せたい』が口癖だったと聞いています。矢口は最初のうちは朱理さんのダイエットに協力していただけですが……それがひとつの引き金になったのかもしれません」

痩せたがる女。

それは矢口にとって母親に他ならないのだ。

「やがて矢口は朱理さんを監禁し始めました。子供の頃の自分がされたように、食事をコントロールして、体重を管理した。罪の意識から逃れるためにますます暗示は強くなっていったはずです。《油取り》という妖人は『女を攫《さら》って油を絞る』性質を持っているのだからと、勝手な解釈をして、良心の枷《かせ》から自分を解き放って暴走し、ついには朱理さんを崖《がけ》から突き落とし……」

「それは矢口じゃありませんよ」

脇坂は「え」と戸惑う。

洗足は返された茶碗に湯を注ぎ、それを別の容器に空けた。それから小さな布のようなもので、茶碗の口を拭ってから、自分の膝《ひざ》の前に置く。

「しかし……矢口は自分が朱理さんを殺したんだと……」

「その自白は疑ったほうがいい。いま矢口の精神状態は普通じゃないでしょうし、すべては自分が悪いと思い込んでいる可能性もある。まあ、もともとは彼が朱理さんを拉致したからこその結果ではありますが」

「で、ではいったい誰が朱理さんを？」

「可能性が高いのは、あのネックレスの持ち主でしょうね」

膝の上に手を置き、見とれるほどの姿勢の良さで洗足は答える。

「先生は……ご存じなのですか。あのルビーのネックレスの持ち主を？」

「購入したのは青目です。本人が言いました」

「あ、青目甲斐児？」

「そう。だが彼が犯人ではありませんよ。早合点しないように。青目は港エリナにねだられて買ってやったそうです。朱理さんのと似たようなデザインだけれど、ピンクサファイアより高価な、ルビーのネックレスを」

港エリナ。朱理の大学の友人だ。

仲がよくて、いつもランチを一緒にしていたという……。

「それじゃ……港エリナが共犯だったと？」

「この場合、刑法上の共犯が当てはまるのかどうかあたしは知りませんが、べつにふたりは共謀していたわけじゃない。港エリナは矢口の顔も知らないでしょう」

「でも、会っています。大学の構内で一度……」

「それは青目です」

あっさりと否定され、脇坂は言葉を失った。

わからない。

なにがどうなっている？　港エリナ、高塚知代果、鶉田結。この三人は同じ日に、朱理と一緒にいた矢口を見ているはずで、だからこそ警察は三人に会い——。

いや、違う。

三人一緒ではない。港エリナだけが時間差で会っているのだ。

「矢口は、青目が販売していたダイエットフードを購入していたんです。そもそも青目は、女性と知り合うためにあの仕事をしていたので、メールなどで巧みに顧客を誘い出していました。直接来店すれば割引販売だとか、そんな名目でしょう。そして矢口は女性の偽名でダイエットフードを購入していた。だから青目は矢口を女性だと勘違いしていた。それをきっかけにふたりは知り合い、青目は矢口に女子大生のガールフレンドがいることを知り、朱理さんの友人に声をかけた。矢口のふりをして」

「あ……では、港エリナが大学で会ったのは……」

「矢口ではなく、青目です」

だから港エリナは矢口を知らないんですよ——洗足はそう続けた。

「もっとも、青目はずっと港エリナを騙《だま》していたわけではない。やることをやったあとに本当のことを話したのか、あるいはばれたか。たぶん同じ頃、朱理さんが学校に来なくなり失踪《しっそう》騒ぎが起きているはずです」

矢口と青目が繋《つな》がっており、青目と港エリナが繋がっていた。それはわかった。だが、なぜエリナが朱理を殺す？　友達なのに？

「青目は……奴は人間の悪意や狂気に敏感な妖人《ようじん》です。そしてそれを増幅させて楽しむ傾向があるものの、法律で取り締まれるレベルではない。矢口は青目に感化され、拉致《らち》監禁という犯罪に手を染めた可能性はあります。では、青目がいなければあり得ない犯罪だったかと聞かれると、そうとも言い切れない」

厄介な男なんですよ、と洗足らしからぬ苛《いら》つきを交えて言う。

「矢口は青目に心を許したんでしょう。本名まで明かしているんですからね。女を誘拐した。山の中の廃屋に監禁した。大事に痩《や》せさせるつもりだ。母のようにするつもりだ……他に言える相手がいないぶん、青目にだけは子細に語っていた可能性が高い」

「あ、青目さんがそこで通報してくれれば……」

「そう。事件はここまで大事にならなかった。だが青目はそんなことをする男じゃない。妄想だと思ってしなかったという言い訳だってできる」

そのとおりだ。通報しなかったというだけでは罪にならない。

「それでも、本人いわく、最悪の事態を防ごうとはしたようですがね」

「……もしかして……港エリナを、あの現場に……？」

洗足が頷《うなず》き「きみも少しは刑事らしくなってきたようだ」と言い添えた。嬉《うれ》しい言葉ではあったが、いまの脇坂には話の続きのほうが気になる。

「矢口は監禁場所を青目に話していた。自分の素晴らしい計画を誰かに知っていて欲しかったのかもしれない。青目はそこへ、港エリナを行かせた。ただし強要はしていない。

そういう男じゃありませんから。『行きたければ勝手にしろ』という程度だと思います。そして港エリナは、友人を助けにいく決心をした」

そのときに、ルビーのネックレスをつけていたのだ。

エリナは廃屋を見つけ、痩せ細った朱理を見つけ、足枷《あしかせ》を外してやり、一緒に逃げたはずなのに――なぜ。

なぜ朱理は崖の下で死んでいたのか。

「そのあと、ふたりになにがあったのかは本人たちにしかわからない。これはあたしの予測でしかないけれど……崖のところで言い争いでも起きたのかもしれない。もともと、あのふたりは仲がいいというより、ライバル関係にあったようだし」

「だ……だからといって、崖から突き落としますか？　せっかく助けに行った友達を、殺すんですか……？」

「殺意はなかったかもしれませんね。ただカッとして突き飛ばした。けれどそこに崖があって、落ちてしまった。怖くなって、そのまま逃げ帰った。青目には、廃屋なんか見つからなかったと言っておけばいい。唯一、ルビーのネックレスだけが問題で、けれど警察は勝手にそれを朱理さんのものだと勘違いしてくれていた。……途中まではね」

脇坂は口を開けたまま、言葉を探す。

矢口じゃない。

矢口は朱理さんを誘拐し、監禁はしたが殺してはいない。

彼女を崖に落としたのは……助けに来てくれたはずの友人だった。

胸が苦しい。脇坂はワイシャツの前立てを摑《つか》んで喘《あえ》いだ。

そのとき、朱理はどんな絶望を感じたのだろう。やっと助かった。友達が来てくれた。これで家に帰れる——どれほど安堵《あんど》して、その直後どれだけ驚愕《きょうがく》したのか。

崖から落ちて、しばらく意識はあった可能性もあると聞いている。

彼女はひとり、なにを思ったのか。どんな絶望が彼女を包んだのか。

「繭美さんに関しても、青目が関与している可能性があります」

「そ、そっちもですか」

「きみは見ませんでしたか？　妖人集会で、青目と《座敷童《ざしきわらし》》が話しているところを」

脇坂はしばらく考えたが、記憶にない。

「覚えてません。でも……《座敷童》がマメくんに、青目は来ているかと聞いたのは覚えています。知り合いなのかと、ちょっと驚いたので」

洗足は「そう」とどこか遠い目をして、それから「知り合いというほどでもないはずですが」と続ける。

「青目は妖人たちのあいだでも、評判のよくない男ですからね。《座敷童》も噂は耳にしていたでしょう。集会の終わり際、ふたりが話しているのを見て、あたしも珍しい取り合わせだなと思いました。《座敷童》が青目になにか言っていて、青目のほうは閉口気味の様子だったんです。どうもいやな予感がしたものだから、あたしは芳彦を呼び、ふたりの会話を聞き取るよう頼みました。《管狐》は耳がいいんですよ。そうしたら」

——ゆるさないよ。

《座敷童》はそう言っていたそうだ。

　夷が来てすぐ、ふたりの会話は終わってしまい、ほかはなにもわからない。ただ《座敷童》は青目に「許さない」と言った。それはどういうことなのだろう。

「ここからはあくまであたしの推測ですが」

　前置きして、洗足は語る。

「青目は矢口に頼まれて、繭美さんに……つまり次のターゲットに接触していたんだと思います。……繭美さんの仕事は？」

「弁当屋でアルバイトをしていました。あ……店は矢口の自宅から駅までの、中間地点です」

「では店先で矢口に見そめられたんですね。母親に似た女性を、矢口が見逃すはずはない。彼女の自宅など、情報を聞き出したのは青目でしょう。おそらく報酬に金を受け取っているはずです。……本人は認めないでしょうが」

　そうか、と脇坂は理解した。

「《座敷童》は……繭美さんのアパート付近をうろつく青目を見ていたんですね」

「おそらくね。あの子は青目の女を騙す性質を知っていて、自分の大事な人に近づくな、手を出したら許さないと警告したんでしょう」

大事な人。

大切なお母さん。

《座敷童》は、繭美さんをずっと守っていたのだ。

またもや涙腺《るいせん》が決壊しそうになり、脇坂は顎《あご》を力ませて耐える。悲しみと同時に怒りがわき起こり「青目さんは、狡猾《こうかつ》だ」と吐き捨てる。

「その点について、異論はありません」

「先生は……なぜあんな人とおつきあいがあるんですか。たとえ腐れ縁だとしても」

「それをきみに話す必要はありません。……ただ、まあ、互いにかなり少数派の妖人で、かつ、この社会では生きにくいという共通点はありますが」

「そんな。先生はあんな人とは違います。ちゃんと社会に適応して、平和な生活を営んでいるじゃないですか」

いくらか強い調子で主張すると、洗足は微《かす》かに笑って「そのための封印ですからねえ」と呟《つぶや》く。

意味がわからず問おうとしたところで「脇坂くん」と先に声をかけられた。

「は、はい」

「きみ、これからも刑事を続けるんですか？」

真顔で聞かれ、真顔で答える。

「もちろんです。続けます」

「ならばひとつ忠告しておきましょう。……きみは妖人と妖怪の区別も曖昧《あいまい》だった当初から、妖人に対して無意味な憧憬《どうけい》の感情を抱えている。妖人に対して警戒心や差別感情を持つ、世間一般とは真逆のタイプといえます」

「はあ……そう、なりますね」

「気をつけなさい。それもまた、偏りです」

「え」

同じなんですよ——洗足は脇坂を見つめて言った。

「妖人も、人間も同じです。善人もいれば、悪人もいる。きみは刑事として、どちらにも荷担すべきではない。確かに《座敷童》やマメのように、今どきの人間には期待しにくい純粋さを持った妖人もいますが、青目のように反社会的としか言いようのない者もいる。……あれは、邪悪なものです」

後半の潜められた声にぞくりとした。

その拍子に身体のバランスが崩れ、脇坂はゴロンとひっくり返ってしまう。狭い空間なので、壁に頭がぶつかって鈍い音を立てた。すぐに起き上がろうとしたのだが、足が痺《しび》れてどうにもならない。

「なにしてんですか。人が真剣に話してるのに」

洗足がおかんむりな声を出す。

「ぼ、僕も真剣です。ただ、足が……も、もう感覚がなくて」

「妖琦庵ででんぐり返ったのは、きみが初めてですよ、まったく。……とにかく、いま話したエリナさんの件を、早急にウロさんに伝えなさい」

「わ、わかりました。すぐ本部に戻らないと」

立ち上がりたい。だがどうしたって無理だ。転がりながら警視庁に戻るわけにもいかず、なんとか足を真っ直ぐ伸ばして感覚が戻るように必死に擦《さす》る。洗足に「携帯は」と聞かれ、やっと内ポケットの携帯電話に気がつく始末だ。

「まったく果てしない馬鹿だねえ」

ジリジリと痺れてきた足に身悶《みもだ》えながら、必死に電話をかける脇坂を一瞥《いちべつ》し、洗足は立ち上がった。閉じられていた竹骨の障子が開けられると、弱い光が室内に差し込んでくる。

もう夜明けなのだ。

そういえば雨の音が消えている。いつのまにやんだのだろうか。

『もしもし。……脇坂、どうした』

眠たそうな鱗田の声が聞こえた。

同時にチチッとどこかで鳥が鳴く。新しい一日が始まろうとしている中で、脇坂は港エリナの身柄を確保するよう、鱗田に伝えた。

※

……はい。

そうです。あたしです。間違いありません。

あたしがやりました。あたしがアカリを突き飛ばしました。

殺そうと思ったわけではありません。

…………。

……もしかして、思ったのかな。ちょっとくらい、思ったのかな。でなきゃあんなに弱っているアカリを思い切り突き飛ばすなんてできないのかもしれない。崖《がけ》があるのはわかっていました。わざわざ崖のある裏道を通ったのは、もし、アカリを監禁した男と出くわしたら大変だと思ったからです。最初から突き落とすつもりだったわけじゃないんです。それは本当です。

え。

ああ……はい。そうです。間違えてました。大学で会った人を、アカリの彼氏だと間違えて。というか、その人が「武藤朱理さんって知ってる？」って聞いてきたものだから、アカリの彼氏なんだって思い込んじゃって……そういえばあたし、あの人の本当の名前も知りません。あたしを騙《だま》した男はなんていうんですか？

……青目。ふうん……へんな名前……。

その、青目という人が廃屋の場所を教えてくれました。

怖かったけど、アカリを助けに行きました。……はい。そうです。アカリが好きだったわけじゃないです。嫌いだったのかもしれません。でも助けようとしたのは本当です。

嫌いな人でも、酷《ひど》い目に遭っていたら可哀相だもの。

……ああ、そういう………。

はい、あったかもしれないです。あたしが助ければアカリはあたしに感謝する。あたしと張り合おうとせずに、あたしを尊敬するようになるかもしれない。それって、きっと気持ちいいだろうなと思います。いつも嫌みっぽい言い方されたり、陰で悪口言われたりしてましたから。

……はい？

それは、教えてくれる友達がいたからです。

チイが……知代果が、こっそり教えてくれました。アカリがどんなにひどいこと言ってるかって。そうです。繭美さんという人が攫《さら》われるのを見て、通報した子です。チイはいい子なんです。いつも自然体で、あたしとアカリが競うようにダイエットしてるのも、きょとんとしたような顔で見てて。

あたしもチイみたいだったら……こんな事件は起こさなかったんだろうな……。

最初、アカリは信じられないっていう顔をしてました。

ぶるぶる震えながらあたしを見て「助けて、助けて」って。足枷《あしかせ》を壊すのは、バールを使いました。鍵《かぎ》を探したけど、見つからなかったから。道具は車の中にいろいろ積んであったんです。

足枷を壊して、アカリを立たせて、一緒に逃げました。

アカリは怖いくらいに痩《や》せてて、でもなんとか自分で歩けてました。裸足《はだし》で……靴を持ってきてあげればよかったと思いました。車は廃屋から歩いて十分くらいのところに停めたんです。万一犯人がいたら、エンジン音を聞かれてしまうと思ったので。

アカリは、ふらふらになりながらしきりに喋《しゃべ》っていました。

助かったことで気持ちが興奮していたのかもしれないし、山を下りるまでは安心できなかったのかもしれません。怖さを紛らわすために、喋らずにはいられなかった感じもしました。あたしは聞き役に徹してました。なぜ廃屋の場所を知っていたのかとか、アカリには言いたくなかったし、聞かれたら嘘をつくつもりでした。以前にも、あの子の彼氏を取ったりしていたので……。

五分くらい歩いたとき、アカリは突然泣き出しました。

ありがとう。エリナ、ありがとうって。

——助けてくれてありがとう。怖かった。本当に怖かったの。お腹がすいて死にそうで、このままここで死んで、誰にも気がつかれないところに埋められるんだって思ってたの。

アカリに心からお礼を言われるなんて、久しぶりだったと思います。でなきゃ初めてだったかも。得意になってもいいはずなのに、ちょっと変な気分でした。こんなふうに泣きながらあたしにありがとうと言うアカリに、妙なライバル意識を持っている自分はおかしいんじゃないか……そんなふうに思ったんです。

　だからあたしも言いました。

　助けられて本当によかった。まにあってよかったよ、って。

　このときは心からそういう気持ちになることができて。これを機に、アカリと本当の仲良しになれるかもって思って。

　――うん……うん、本当に。エリナは私の命の恩人だね。これからも、友達でいてね。私本当に後悔してるの。あんな男にひっかかって。最初のうちは喜んでダイエットなんかしてて、馬鹿だった。食べられないのってつらいよ。ひもじいのは本当につらい。いざとなれば食べられるダイエットなんかと、比べものにならない。私、眠るたびに食べ物の夢見てた。ときどきお父さんとお母さんが出て来て、あとは食べ物ばっかり……。

　少しよろけたアカリをあたしは支えました。

　そしたらアカリが潤んだ目でこっちを見て言ったんです。

　――エリナも、もうダイエットはいいと思うよ。充分痩せててきれいだよ。

　そのとき、あたしは見ました。

一瞬だけど、アカリの目に憐《あわ》れむような色が浮かんだのを確かに見ました。

——聞いたよ、中学生の頃のこと。太ってて、いじめられたんだよね？　三年間ずっと、いじめが続いたんだよね？　それがずうっとエリナの心の傷になってて……つらかったよね。でももう、そんなこと気にしなくていいと思うよ。だってもういまは——。

なにかの、音がしました。

たぶんあたしの身体の中で……なにか弾《はじ》けるような。壊れるような。

あとのことはあんまり覚えていないんです。気がつくと、あたしの両手は前に突き出ていて、アカリはひどく驚いた顔をしていました。差し延べられた手がなにかに縋《すが》ろうとして、あたしのネックレスを掴《つか》みました。鎖が切れて、ネックレスはアカリと一緒に崖から落ちていきました。悲鳴は聞こえませんでした。崖の下から、うめき声みたいな声がして、でもそれもすぐにやみました。下を覗《のぞ》いたら、アカリはもう動いていなくて、死んでしまったんだと思いました。

そのままあたしはひとりで帰りました。

あの男には、廃屋を見つけることはできなかったと嘘をつきました。

……いつか捕まるのはわかってた気がします。

だってアカリはあたしのネックレスを握って落ちたんだし。ただ、アカリがよく似たものを持ってるのは知っていたから……もしかしたら、警察が誤解してくれるかなと思って……あの子の部屋からもうひとつのネックレスを盗みました。

スペアキー、持ってたんです。

シュンがアカリに返しそびれてたものです。あたしから返すつもりだったのに……こんなことで使うなんて想像もしていませんでした。

そこまでしたけど、いつかはばれるってわかってました。あの矢口という人が、アカリの殺人を自白したと聞いたときですら、安心したりできなかった。両手から感触が消えたことはありません。アカリを突き飛ばした、あの感触が。

……中学の頃のことは誰にもなにも言われたくなかった。

あの頃のあたしはもう死んだんです。この世にはいないんです。だから誰もそのことを口にするべきではないんです。

なんでアカリが知っていたのかはわかりません。

もちろん同じ中学なんかじゃありません。

……どうしてこんなことになったんだろう。

あたしが殺したいのは過去の自分であって、アカリじゃなかったのに。アカリは、友達だったのに。かちんとくることも多かったけど、少しは好きなところもあったのに。趣味とか、服のセンスとか似てて……可愛いと思うものも似てて……。

なのに、どうしてあたしは。

暗闇に奴がいる。

伊織にはわかる。

どんな深い闇だろうと、それは強い気配を放つ。

蠟燭《ろうそく》の灯《あか》りすらない妖琦庵に座り、闇の中で点前《てまえ》をする。棗《なつめ》を清めた袱紗《ふくさ》をさばき直し、今度は茶杓《ちゃしゃく》を清める。茶杓を棗の上に置く。見えなくても位置はわかる。古い道具は気を纏《まと》っているものだ。それは闇の中ほど、よく感じ取れる。

「伊織」

奴が口を開いた。さんざん女を食った赤い舌がちらりとひらめいたことだろう。

「俺と行こう伊織」

伊織はなにも答えず、柄杓《ひしゃく》を取った。右手を切り止めに添えて構える。

「俺とおまえはいい組み合わせだ。……いや、おまえを理解できるのは俺しかいない。《管狐》や《小豆とぎ《あずき》》と家族ごっこするのもいいが、長くは続かないぞ」

茶釜《ちゃがま》の蓋《ふた》を取り、茶筅《ちゃせん》通しをする。

闇の中に漂う湯気が流れて、伊織の頬を掠《かす》めた。

「あいつらはいいさ。人間の中でも、生きていける」

二度上げの三度打ちで茶筅を通し、湯の中で何度か振る。湯を立て水に捨てる音が小間に響き、同時にざらりと畳を擦《こす》る音がした。

奴がこちらに躙《にじ》り寄ってきたのだ。

「伊織」

顔を覗き込まれるのがわかった。伊織は僅《わず》かに眉《まゆ》を寄せて、それでも無言のまま茶碗《ちゃわん》を茶巾《ちゃきん》で拭《ふ》き始めた。すると、気配が一度遠ざかる。

「わかっているだろ。俺たちは人間に馴染《なじ》まない。おまえの母親はそれをよく知っていたから、息子の左目を封じたんだ。おかげで息子はボーダーに立つことになった。人間と妖人《ようじん》の間の、半端な位置で困り果てている」

困ってなどいない――そう思った途端、伊織は反省した。

茶を点《た》てるときに余計なことを考えてはならない。だが無の境地というのは難しい。どれほど集中していようと、雑念はふいに湧き出て、そのたび伊織を嘲笑《あざわら》う。

「左目を解放しろよ」

棗からお茶を掬《すく》い、茶碗の縁で茶杓を軽く打つ。ふわりと御抹茶が香った。

「俺と一緒に行こう。はみ出し者同士だろう？　人間に期待なんかできるものか。俺たちは連中にとって、一番厄介な妖人だぜ？　妖怪と呼ばれていた頃からそれは変わらない。おまえがどれだけ警察に媚《こ》びを売ろうと、あいつらはそれを利用するだけだ。決して仲間だとは思わない。《座敷童《ざしきわらし》》だの《小豆とぎ》だのとは違うんだよ、俺たちは」

柄杓に湯を汲《く》み、茶碗に注ぐ。残りの湯を釜に戻し、切り柄杓で釜に預ける。

「伊織」

きめ細かくお茶を点てる。

茶筅の立てる軽やかな音に集中し、奴の戯言《ざれごと》に耳を貸さぬよう伊織は努めた。

「おまえのお気に入りの新入りにしても、おまえの正体を知らないから懐いているのさ。おまえがもしその左目を解放したら、脱兎の勢いで逃げていくだろうよ。それは鱗田だって同じだ。《小豆とぎ》や《管狐》もどうだかな」

茶筅を茶碗から抜き、畳の上に戻す。右手で取った茶碗を左手の上にのせ、手前に二度廻《まわ》して定座に出した。奴が手を伸ばすのがわかる。

奴はお茶を飲んだ。ズッと吸いきりの音がして、茶碗が畳に置かれる。

「――おまえの茶はうまい」

伊織は顔を奴のほうに向けて、畳に手を軽くついた。ふいに、小間の空気が大きく動く。奴が伊織のすぐそばにいる。

「伊織」

顔に吐息がかかるほどの至近距離だ。それでも伊織は動かない。動揺すればこちらの負けだ。奴の言葉に惑わされてはならない。

「わかっているだろう?」

奴が嗤《わら》い、指先が伊織の前髪に触れる。

「おまえを恐れないのは俺だけだ。俺はおまえになにも隠さない。すべてをさらけ出せる。人間は自分の抱える暗闇を押し込めて生きるが、俺はそうしないからな。俺はもともと……暗闇の中で生きる種族だ」

その指が縫われた左目に触れたとき、伊織は初めて口を開いた。

「触るな」

「俺がこの不恰好《ぶかっこう》な縫い目を解いてやる」

「青目。何度言わせる。ここを……妖琦庵を離れるつもりはない」

妖琦庵は茶室になる以前、産室だった。

伊織の母はこの空間で息子を産み落としたのだ。どうか普通の人間として生まれてくるようにと、強く祈っただろう。だがその願いはかなわず、伊織は母の血を引き継いだ。ことに、その能力は左目に強く宿った。だからこそ母は、生まれてすぐに伊織の目を封じたのである。

ミシリと畳が軋《きし》んで、青目が立ち上がるのがわかった。

貴人口の開く音がして、ぼうとした月明かりが差し込み、奴の影を畳に落とす。

「今夜は行く。だが忘れるなよ、伊織」

顔だけで振り返り、青目が言った。

「おまえは人間にとって脅威だ。俺と同じくらい、疎まれる存在なんだ。誰がおまえを受け入れるものか。すべてを見透かす《サトリ》以上に、恐ろしい妖人がいるか？　人間を食らう俺よりも恐ろしい」

だからおまえは――青目が続ける。

女を惑わす眼が煌《きら》めき、伊織を射貫《いぬ》く。

「おまえは、永遠に孤独だ。俺と来ない限りはな」

捨て台詞《ぜりふ》と同時に貴人口から奴は消えた。

あとは畳に茶碗が転がっているだけだ。

伊織は膝《ひざ》の向きを変え、茶碗を拾う。丁寧に指先でなぞり、気に入りの織部がどこも欠けていないかを調べる。薄明かりに美しい青緑が浮かび、伊織を慰めた。

……永遠の孤独。

奴の言い分は間違っていない。

伊織の左目を恐れない者は、自らを邪悪と認めている奴くらいだろう。伊織自身ですらこの左目を恐れているのだ。解放し、すべてを見てしまえば……気が狂う可能性だってある。伊織は母ほど強靭《きょうじん》な精神力はない。

道具を畳みもせずに、伊織は中庭へと降りた。

新月の下、おかあさん、と呼びかけるやさしい歌を思い出した。伊織は耳をすまして《座敷童》の声を探す。

もうあの子はいないのに、耳の奥で微《かす》かな歌声が聞こえる気がした。

九

だらだらと汗が流れる。

鱗田はふしゅうと息を吐いて立ち止まり、顎《あご》から首にかけてをハンカチでぬぐった。アスファルトに落ちる、竹藪《たけやぶ》の影がくっきりと濃い。そのぶん日向《ひなた》の明るさは半端ではなく、身体中から噴き出す汗に本格的な夏の到来を体感した。

「あっつー」

隣で脇坂も立ち止まり、水色のハンドタオルでぽふぽふと額を叩《たた》くように拭く。

ハンドタオルのすみに、なにかのキャラクターらしき絵柄が入っているのが目にとまる。どこかで見たような気がして考えていると、脇坂が鱗田の視線に気づいて「カッパにゃんですよ」とうれしそうに言う。

「法務省が妖人問題の啓蒙《けいもう》用に作ったイメージキャラクター。最近すっかり見なくなっちゃったけど。カッパと猫を混ぜちゃうっていう無茶っぷりがいいですよね」

「そんなハンカチ持ってるやつ、初めて見たぞ……」

呆《あき》れ口調で言うと、脇坂は「お気に入りなんです」と自慢気にハンカチを広げた。

対角線上の角にもう一匹カッパにゃんがいて、こちらはキュウリをかじっている。猫の頭の上に河童《かっぱ》の皿が載っていて、目つきがちょっと虚《うつ》ろなキャラクターだ。

七月の一週目、東京の梅雨が明けた。

鱗田と脇坂は初夏の青空の下、妖琦庵を目指している。

今回の事件では洗足にさんざん世話をかけた。挨拶《あいさつ》に行かなければと思っていたのだが、事件の後始末や、上からの呼び出しへの対応に忙しく、なかなか時間が取れなかったのだ。手土産は脇坂が用意したナントカカントカという店のドウシタコウシタというアイスである。いや、ジェラートとか言っていたか。どう違うのかは聞いたが、もう忘れてしまった。とにかく冷菓である。ドライアイスが入っているとはいえ、急ぎ足で向かっているのでふたりとも汗だくなわけだ。

竹藪がざわめく。

妖琦庵はもうすぐそこだ。

「マメくん、喜んでくれるかな」

左手にジェラートの入った袋を持ち、右手で目の上にひさしをつくりながら脇坂が言った。

「みんな喜ぶだろ。先生も甘いモンは好きだし」

「人気店なんですよ。組対の夫馬《ぶま》さんも大好きなんですって」

「あのごついオッサンが、そんなもん食うのか」

組織犯罪対策部の夫馬といえば、二本足で立つカバのような男である。あの顔で小さなスプーンを持ち、うれしそうにジェラートを食べる姿は想像しにくい。

「夫馬さん、ＫＳＣに入会したんです」

「なんだい。ＫＳＣって」

「警視庁スイーツクラブです。非公式ですけど」

あたりまえである。そんなクラブが公式になるはずがない。

しかし、脇坂いわく、警察関係者には甘党が多いらしい。事務職の女性はもとより、特に厳しい現場に出る刑事たちも、強いストレスを甘い物で癒《いや》したがるそうだ。鱗田は自分がさほど甘い物に興味がないので、そんな傾向を意識してはいなかった。しかし言われてみれば、張り込み中に甘い菓子を食べたがる刑事は結構いる。

浮きまくっていた新人・脇坂は、いまでもやっぱり浮いている存在であり、一部の刑事たちからは疎まれている。その一方で、いつのまにか鱗田が驚くような人脈を作っていたりもするのが面白い。組対の夫馬にしても、間違っても愛想のいい男ではないのだ。

昨日、脇坂は目を真っ赤にして応接室から出てきた。

脇坂を訪れた客は繭美だった。脇坂に《座敷童《ざしきわらし》》のことを聞きにきたのだ。彼女はあの小さな男の子が妖人《ようじん》だったことすら知らなかったらしい。小一時間ほど面談したあと、自分の席に戻ってきた脇坂は充血した目のまま「つられ泣きしました」と言い訳して無理に笑った。

——途中までは頑張ったんです。これでも刑事ですからね。被害者の前で泣くのはどうかと……でもだめでした。僕が「キノくんという名前をもらえて、喜んでいました」と話したとたん、繭美さんがワッと泣き出してしまって……あとはもう、ふたりでダダ泣きで。

照れくさそうに言いながらも、また瞳《ひとみ》が潤んできていた。

そういえば、洗足から聞いたことがある。流浪するタイプの妖人は、住む土地によって名前を変えるケースが多いらしい。新しい土地で誰かが名前をつけてくれると、その人を信用し、懐く場合もあるという。なんとなく、その気持ちはわかるなと鱗田は思った。名前とは、親から子供への最初の贈り物だ。

愛情と希望の詰まった、なににも代え難いプレゼントなのだ。

「……今回の事件、結局犯人は妖人じゃありませんでしたね」

ぽつりと脇坂が言った。鱗田は短く「そうだな」とだけ答える。

女子大生監禁殺人事件は、監禁していた犯人と殺害した犯人が別の人間で、かつ共謀してもいなかったという意外な結末となった。

いっときは世間を騒がせたこの事件も、たったの一週間で新しい話題にかき消され、テレビはもとより、新聞からも記事が消えた。妖人《油取り》が犯人だと騒いでいた世間も、あるいはマスコミも、自分たちの間違いに素知らぬふりをした。あるいは、間違えたことすら覚えていないのかもしれない。

朱理を攫《さら》ったのは妖人ではなく人間だった。

朱理を崖《がけ》から突き落としたのも妖人ではなく人間だった。

誘拐犯から繭美を守ろうとし、命を落としたのは……妖人だった。

流浪の妖人である《座敷童》の弔いは、洗足の仕切りによってひっそりと行われたようだ。鱗田と脇坂も出席したかったが、夷から丁重な断りの電話が入った。洗足家の者たちと、一部の妖人だけで静かに送り出されたと聞いている。

多くの人々は、夏が終わる前にこの事件を忘れ去ることだろう。

事件の当事者とその遺族や親しい者の中でだけ、傷や痛みは長く疼《うず》き続ける。いつの時代もマスコミは浮気性で、大衆は飽きっぽいものだ。

「ごめんくださーい」

呼び鈴のない玄関で声を張ったのは脇坂だ。

いつもならば夷かマメがすぐ出てくるのだが、今日はなんの応《こた》えもなかった。おかしいなと思いながらしばらく待っていると、中庭のほうから「こっちですよ」と声がする。

いくぶん迷惑そうな声色は主《あるじ》である洗足のものだ。母屋の横、中庭につながる細い通路を進むと、濡《ぬ》れ縁に腰掛けている着物姿があった。おお、夏だな――鱗田がそう思ったのは、洗足が紺地に白い格子柄の、粋な浴衣《ゆかた》姿だったからだ。

「先生。今日はおひとりですか」

脇坂の問いに「見ればわかるでしょう」と気怠《けだる》く答える。

いつもの白い扇子ではなく、朝顔の描かれた団扇《うちわ》を手にして、足首から先は盥《たらい》に張った水に浸かっていた。鱗田は頭を下げてから洗足に近づき「ずいぶんと風流な眺めですなあ」と盥の水を見つめた。

洗足はゆるゆると団扇を扇ぎながら、不機嫌に鱗田を睨《にら》む。

「暢気《のんき》なことをおっしゃいますがね、ウロさん。こっちは暑くて死にそうです。エアコンがお釈迦《しゃか》になっちまったとたんに、この陽気だ」

「それは困りましたたな」

同情もあらわに鱗田は言った。確か今日の最高気温は三十二度と予測されていたはずだ。ヒートアイランドの東京で、エアコンなしで過ごすのはしんどかろう。

「芳彦とマメは家電店に行ってますから、なんのおもてなしもできませんよ。まあ、あなたがたをもてなす理由なんか、もともとないけどねえ」

ぱしゃぱしゃと、白い足が水を跳ね散らかす。

「あ、じゃあ冷たいものはいかがですか。ジェラート持ってきたんです」

脇坂が袋を上げながら言うと、洗足はわずかに眉《まゆ》を上げて「早く言いなさい、そういうことは」と手を出した。そしてやっと、鱗田と脇坂に腰掛けるよう勧めてくれる。盥に足を浸けている洗足は動けないので、その両側に刑事二人は腰掛けた。

数種類を詰め合わせたジェラートの中から、洗足はレモン味を、鱗田はナッツ・チョコレートを選んだ。もちろん夷とマメのぶんもちゃんと残してある。

食べ始める前、鱗田が先だっての事件への協力に対して礼を述べた。洗足は黙ったまま、ひとつ頷《うなず》いただけだ。

ちりん、と菖蒲《あやめ》柄の江戸風鈴が鳴る。

野郎三人が並んでプラスチックのスプーンを持ち、せっせとジェラートを掬《すく》う図は、少しだけ滑稽《こっけい》な気もしたが、たまにはこんなひとときもありだろう。半分ほど減ったところで、洗足が「これはなかなかうまい」と珍しく褒め言葉を聞かせた。

「そうでしょう、先生。僕って気が利くでしょう？」

とたんに脇坂が調子に乗る。洗足はちらりとその顔を見て、

「本当に気が利くんなら、エアコンでも買ってきなさいよ」

と無茶を言った。脇坂は「次から心がけます」と屈託なく笑う。

「それにしても」

ジェラートを食べる手を休めて、新人刑事は言った。

「先生はすごいです。僕は今度の事件でつくづく思い知りました。妖人と人間が見分けられるのもすごいですが、それだけじゃない。洞察力、推理力、記憶力……どれをとってもそのへんの刑事に引けを取らない。本当に驚きました」

「あたしも驚きましたよ。きみがあまりにも役に立たないんで」

「ええと、僕はこれからなんですよ、きっと。まだ新人なわけだし。ねえ、ウロさん」

「まあな。まだ尻《しり》に殻をつけたヒヨコだ」

鱗田が答えると、洗足が冷ややかに「褒めすぎですよ」と突っ込む。

「やっと殻から嘴《くちばし》だけ出てきた程度だ。これ以上使えない刑事だったら、その嘴を殻の中に引っ込めて、ガムテープで卵ごとぐるぐるに巻いちまえばいい」

「そんな。孵化《ふか》もできません」

脇坂の情けない声に、洗足の口元がにやついた。口ではいろいろ言うものの、脇坂は洗足に受け入れられている。やはりマメと親しくなったのがよかったのか――いや、そればかりともいえない。脇坂の裏表のない、素直な性格が気に入られたのだろう。

「でも、僕……正直ショックでした」

ふう、と溜息《ためいき》をついて脇坂がスプーンを舐《な》める。

「朱理さんを崖から突き飛ばしたのが、エリナさんだったなんて……仲のいい友達だと思い込んでました……」

「友達だから仲がいいとは限りませんよ」

淡々と言い、洗足は食べ終わった容器を脇坂に押しつけた。

「それに……あの子、妙なことを言っていたし」

「妙なこととは？」

鱗田が聞く。洗足は盥から足を抜き、豆絞りの手ぬぐいで拭《ふ》きながら「ウロさんと一緒に大学に行ったときですよ」と答えた。

「港エリナは言ったんです。崖の下なんて、すごく寒かったでしょうね、と」

大学で友人三人に改めて話を聞いたときのことだ。薄いキャミソール一枚で崖下に落ちた友人を悼んでの発言である。

「確かに言っていましたが……不審な発言とは思いませんでしたなあ」

「そうですよ先生。実際、寒々しい山中で下着だけで亡くなったんです。寒かったろう、かわいそうにって思うのは友人としては普通でしょう？」

「まあ、冬ならね」

「はい？」

脇坂は意味がわからないという声を出したが、鱗田は刹那《せつな》に理解した。

事件が起きたのは五月だ。冬ではない。

また、被害者がどんな恰好《かっこう》で亡くなっていたのかは、公表されていなかった。下着だけだと知っていたのは関係者と犯人だけのはずなのだ。さらに現場は北海道でも東北でもなく、関東の山中である。

「普通、五月に寒いというイメージはないんですよ」

両足を拭き終え、盥をずるずると足で前方にずらし、洗足は白木の下駄《げた》を履く。

「山登りが趣味ならば、山中は冷えるのは知っています。まあ、知識として持っている人もいるでしょう。だから絶対におかしな発言ではありません。それでもやはり『怖かっただろう』や『かわいそうに』と思うほうが一般的です。……ただし、現場で被害者に会っていれば別だ」

肌着姿の朱理を見ていれば。東京より低い気温を自分も体験していれば。

そうか、と目を見開いて脇坂が呟《つぶや》く。

「知っていたから……見ていたから『寒かったでしょうね』って無意識に……」

「あたしも気がついたのはあとからなんです。その場で妙だと気がついたら、ウロさんに言っていただろうに……」

「いや、先生。気がつくべきはこっちでした」

鱗田は膝《ひざ》に拳《こぶし》をおいてうなだれる。なんと歯がゆいことだろう。エリナの発言の違和感に気がつくべきは刑事である自分だったのだ。いったい何年刑事をやっているのか。

「どうにも……面目ありません」

さらに頭を低くして言うと、洗足は「あたしに謝られてもね」と素っ気なく返した。

「それに、あの時点で気がついていたとしても、朱理さんは亡くなっているんです。事態は変わりませんよ」

「朱理さんは気の毒でしたが――繭美さんの誘拐を阻止できたのは先生のお陰です。矢口の精神状態はかなり悪化していました。あのまま連れ去られていたら、どうなっていたかわからない。先生が青目から矢口のことを聞き出してくれなかったら……」

「あたしじゃない。繭美さんを助けたのは《座敷童《ざしきわらし》》です」

抑揚を殺して言った洗足が、軽く顎《あご》を上げて夏空を見上げる。眩《まぶ》しい太陽に右目を細め、遠くの入道雲を見つめた。

「金平糖が大好きでね」

ふ、と微笑みを浮かべて言う。

「つのつのお菓子、と言っていた。青い金平糖は空の味がすると」

洗足の言葉を聞く脇坂の顔が硬い。

喉仏《のどぼとけ》に力を入れ、泣きたくなるのを我慢しているのがわかる。昨今の若い奴はよく泣くと聞くが、それは多少みっともないにしろ、悪いことじゃないと鱗田は思う。自分のためではなく、他者のために泣ける心はあったほうがいい。

ことに刑事などという仕事をしていればその心はすり減っていくばかりなのだから、最初にたっぷり持っていたほうがいいのだ。

「先生」

脇坂が改まった声を出した。

「僕、このあいだ、たまたまテレビで事件の関係者を観たんですよ。高塚知代果さん……朱理さんの友人で、繭美さんのバイト仲間ですね。繭美さんが誘拐されたときの通報者でもあります」

「ああ、あたしも観ましたよ。ふっくらした子でしょう？」

「ええ、そうです」

脇坂が頷く。鱗田はその番組を観ていないのだが、知代果が今回の事件についてインタビューを受けたものが放映されたらしい。

「……僕だけ、なのかなあ……質問に答える知代果さんが、なんだか生き生きとして見えたのは……ずいぶんと綺麗《きれい》に化粧して、一張羅ってかんじの服で……僕の目が変なんでしょうか?」

「いや。あたしもそう思いましたよ」

縁側に置いてあった蚊取り線香を引き寄せ、洗足が答える。なんとも懐かしい蚊取り豚がここでは現役だ。

「友人の死というネタではあるにしろ、注目されて高揚していたようだ」

「はい。僕も同じ印象を受けました。……あんなものなんでしょうか」

「なにが」

そばにあったマッチを擦り、洗足が渦巻きに火をつける。

「友達が死んでるんです。興味本位のインタビューなんか、普通断りませんか?」

「さあねえ。でもあたしの知ってる刑事が言ってました」

「なんて?」

「女同士の友情って、すごくいいなーと思う反面、ときどき怖くなる、って」

「あー、それ、なんだかわかります。……痛っ」

ウンウンと感心している脇坂の頭を鱗田は思わずペシンとはたいてしまった。馬鹿だ。あまりにも馬鹿だ。脇坂は口をとがらせ「ウロさぁん」と不服げな声を出す。

「おまえだろうが、脇坂」

「はい？」

「おまえが言った台詞《せりふ》だよ。『女同士の友情って、すごくいいなーと思う反面、ときどき怖くなる』ってのは」

はたかれた頭を撫《な》でつつ、脇坂が「あー」と納得する。

「どこかで聞いたと思った……そうか、僕かあ」

鱗田が深い溜息をつくと、洗足が「ウロさん、お察ししますよ」と慰めてくれた。だが脇坂はそんなやりとりはまったく気にせず「そうなんですよ」とますます力説した。

「あのときはたまたま実家にいて、四番目の姉と一緒にテレビ観てたんです。カメラがロングに引いて、知代果さんの足もとが映ったとき、姉と一緒に『マノロ・ブラニク！』って叫んじゃいましたよ」

「……どこの誰ですか。マノロ・ブラニクって」

「あ、靴のブランドです。オシャレだけどすごく高いんです。こう言っちゃなんだけど、学生さんが履くような靴じゃない。ま、実家がお金持ちなら話は別ですけど……知代果さん、お弁当屋さんでバイトしてたわけです。マノロ・ブラニクを買える人は、あんまりそういうバイトはしないと思うんです」

うーむ、と鱗田は唸《うな》った。テレビで靴が映っただけで、そのブランドがわかるというのはある種すごい才能かもしれないが、捜査にはあまり生かせない気もする。

「しかし脇坂、知代果さんはその靴欲しさにバイトをしていたのかもしれんだろ」

若い女の子が服飾品欲しさにアルバイトするのはよくあることだ。しかし脇坂は「マノロ・ブラニクですよ?」と眉間《みけん》に皺《しわ》を寄せる。

「フッーに一足十万以上するブランドです。お弁当屋さんのバイトじゃ、とてもおっつきませんよ」

十万という数字に驚き、鱗田は言葉を失ってしまった。高いといっても、せいぜい三、四万だと思っていたのだ。

「ローンで買ったのか、あるいは誰かから借りたのか……わからないですけど、それくらい気合いが入っていたというわけです。友達が死んだ事件のインタビューでね」

珍しく、少し怒ったような口調で脇坂は言い放った。自分が眉間に皺を寄せていると気がつくと、指先でグイグイと強引に皺を消した。

新人刑事が戸惑っているのが、鱗田にはわかった。事件が解決しても、死んだ被害者は戻らない。《座敷童》も戻らない。

怒りをぶつけるには、犯人ふたりの境遇はあまりに哀しいものがある。

矢口は子供時代、母親から虐待に近いほどの食事制限を受けていた。

エリナの中学時代についても裏が取れた。確かにひどいいじめを受けていたらしい。写真を見ると、現在とは別人のようにまるまるとしていたが、可愛らしい少女だった。太っていたからいじめられたのではなく、いじめられた記憶と、当時の自分の体型コンプレックスが深く結びついてしまったのかもしれない。

当時の同級生のひとりが重い口を開いてくれた。

元同級生が言うには、エリナに対して性的な暴行があった可能性が高い。数名の男子生徒に、人目につかない場所へ連れて行かれるところが何度か目撃されていた。そしてそれを止めたり、教師に知らせてくれる友人はいなかった。

「……そういや先生、青目が消えました」

「ああ。そうでしょうね」

知っていたかのような口ぶりだった。

矢口が逮捕された直後、捜査一課は歌舞伎町の『roost』を訪ねた。青目は事件に大きく関わっていたため、話を聞く必要があったのだ。

だがすでにバーテンダーは別の者に変わっていた。意識的に身を隠したと考えられるが、かといって指名手配することもできない。青目は確かに矢口、そしてエリナの両者に関わったものの、法に抵触したわけではないのだ。矢口に『女を攫《さら》って殺せ』という暗示をかけたわけでもなく、エリナに『むかつく友達を崖《がけ》から落とせ』とも言っていない。矢口に《油取り》という妖怪《ようかい》を教えただけなのだ。

さらに、繭美に接近して彼女からプライベートな情報を引き出したとも推測されるが、この点も「単に自分がナンパして、その後に気が変わっただけだ」と主張されればそれまでだ。

もし青目の存在がなかったら——果たしてこの事件は起き得たのだろうか？

矢口は心を病んでいたため、いつか問題行動を引き起こした可能性が高い。だがエリナに関しては？　青目の関与がなければ、エリナは山中の廃屋へ向かうことはなく……いや、だがそもそもは友人を助けるために行ったのだ。朱理がエリナがいじめられていたという過去を口にしなければ、ふたりは無事に山から下りていたはずなのだ。

「青目を捜しても無駄ですよ」

ぽつりと洗足が言う。

「雲隠れは奴の十八番《おはこ》です。しばらくは行方を晦《くら》まし、またそのうちにこの都会の雑踏に紛れて姿を現すでしょう」

話しながら立ち上がり、下駄《げた》の音をさせて敷石を進む。手水鉢《ちょうずばち》まで行くと竹の柄杓《ひしゃく》で水を掬《すく》い、指先を洗った。ジェラートがついたのだろう。

そういえば、と鱗田は思い出す。

「先生。法務省から連絡があったと思うんですが」

つい昨日、小耳に挟んだのだ。

今回の事件に協力した洗足に特例妖人の資格を与えることが内定したと。あとは本人が法務省に出向き、手続きを済ませればいいだけのはずだ。

鱗田は安堵《あんど》した。これだけいろいろと働かせておきながら、洗足の要望を法務省が無視していては、Y対としては申しわけなさ過ぎる。特例許可が下りれば洗足も満足し、引き続き今後も協力が得られるだろう。

「ああ、あれね」

さして嬉《うれ》しそうでもなく、洗足は手を拭《ふ》いている。

「特例内定が出たんですよね。これでお母様の遺志が果たせますね先生！」

我がことのように喜ぶ脇坂を一瞥《いちべつ》し、洗足は「断りました」と言い放つ。

「え……断ったって、特例妖人になるのを、断っちゃったんですか！」

「そう」

「な、なんで！　だって先生はあんなに……」

「もういいんですよ。あたしはフツーの妖人でいいです。心配しなくても、これからもY対にはできる範囲で協力します」

鱗田と脇坂は顔を見合わせて驚く。協力してくれるのは嬉しいが、特例認定が下りなければ、洗足にはなんの利益もないではないか。

「あなたがたのために協力するわけじゃない」

ぱんっ、と手ぬぐいを叩《たた》いて洗足は言い放った。手ぬぐいは小粋な豆絞りだ。

「正直、今まではいやいや協力してたんですがね。今回の件で考えを改めました。《油取り》は架空の妖怪でしたが、もし実在の妖人に嫌疑がかかった場合……警察にしろ世間にしろ、人間ではなく妖人を犯人にしたがる傾向がある」

「そんな。僕は妖人だからといって疑ったりは」

「きみがしなくても、世の中は違うんですよ」

きっぱり言うと、濡《ぬ》れ縁へと戻り、脇坂を見て盥《たらい》を指さした。

「え」

「水、向こうの植え込みにあけてきて」

「あ、はい」

脇坂が腕まくりをして盥を持ち上げ、えっちらおっちらと運び出す。その後ろ姿を眺めながら、洗足は手ぬぐいを首にかけて再び濡れ縁に腰掛けた。

「――だから、あたしは抑止剤にならないとね」

鱗田の顔を見ないまま、静かに言った。

「容疑者が妖人ならば、Y対が動く。もし本当に妖人の犯罪ならばそれは仕方ない。妖人がすべて善人だなんて言うつもりはないし、善人だってときには悪事を働くもんです。だが、もし妖人だというだけで色眼鏡で見られ、そのために冤罪《えんざい》を被ることになろうとしていたら……」

洗足が鱗田を見た。

涼やかでいて、意志の強い右目。

前髪に隠された、縫われた左目。

この男とまともに目があうと、いまだに鱗田はどきりとする。なにもかもを見透かされそうで怖いと感じるのだ。

「あたしは全力で阻止します。それが妖人として生まれた己の役割だと思うことにしました。母も、きっと納得してくれるでしょう」

「……助かります」

　座ったまま、鱗田は深く頭を下げた。

「俺もねえ、先生。冤罪なんかあっちゃならないと思ってるんです」

「知ってますよ」

　顔を正面に戻して洗足は答えた。脇坂が必死に盥を持ち上げて、植え込みに水を流している。いろんな場所に水をかけてやろうと、右へ左へと動く様が可笑《おか》しい。

「Y対にいるのが、ウロさんとあのカニ歩きしている新米じゃなかったら、協力するのは難しかったかもしれません」

「はは。そうですな。脇坂もあれで頑張ってます。これからも先生にしごいていただければ、それなりに使える刑事になるんじゃないかと」

「ごめんですよ。ここはY対の研修センターじゃないんだ」

　無愛想な台詞《せりふ》だが、洗足は一度受け入れた者に対する面倒見はとてもいいのだ。それを知っている鱗田がにやにやしていると、ますます不機嫌な顔になって「なんだい、そのへっぴり腰は」と脇坂に当たり始める。脇坂が振り返り「重いんです〜」と腑抜《ふぬ》けた声で言い訳をした。

　洗足が団扇《うちわ》で風を作る。

自分を扇いでいるようで、さりげなく鱗田にも風を送ってくれている。

どこからか、夷とマメの笑い声が聞こえて来た。帰ってきたらしい。お値打ちのエアコンは買えただろうか。

「うひゃあ！」

脇坂が悲鳴を上げる。

足を滑らせて派手に尻餅《しりもち》をつき、洗足が珍しく破顔した。

※

もしもし？

ごめん、遅くに。うん、あたし。

なーんか、眠れなくてさあ。っていうか、講義のあいだに寝すぎっていう話もあるけど。あはは。もうすぐ前期試験だから、寝てる場合じゃないのにねえ。

そうだユッチ、明日、近代史概論のノート見せてもらっていい？　あたしときどきサボってたから……うん、そう、エリナと一緒に抜け出してたりしたの。

エリナとふたりになると、いっつもアカリの悪口になっちゃってたんだけどね。その逆で、メディア史のときはよくアカリと抜け出してたの。そうするとエリナの悪口を聞く羽目になるんだよね……。

あたしさあ。こんなことユッチにしか言えないけどさあ……。

一時期、ちょっとげんなりしてた頃があったの。だってお互いの悪口ばっかり言ってるんだもん、あのふたり。エリナはアカリのこと、二の腕太いとか、足首が締まってないとか。アカリはエリナのこと雰囲気美人なだけで、たいした顔じゃないとか。あたしなんかさ、アカリよりデブでエリナよりブスなわけじゃん？　そんな話聞いてるとだんだん腹が立ってきて、なんかもう、途中からちょっとおかしくなってきたの。

おかしくっていうのは……。

だからさ、エリナには「アカリが、エリナの化粧濃すぎるって言ってたよ」とか、アカリには「エリナが、アカリのダイエットって効率悪すぎだって」みたいな感じで……報告してたっていうか、告げ口みたいな？

最初はほんの少しだったんだけど……だんだん、逐一っぽくなっちゃって。

うん？　ああ、そう。もちろんふたりとも、あたしが喋《しゃべ》ってることなんか知らないよ。

ふたりとも、あたしは自分の味方だと思ってたみたいだし。でもさー。味方って言われてもねえ。なんかあのふたり、あたしのこと一段低く見てたっていうか。レベルの違う相手だから、安心して喋れてたっていうか。

……考えすぎ？　そうかなあ。……うん……わかんないけどね……。けどあたし、そのときはすごくむかついてたみたいで、ときどきちょっと脚色しちゃったんだよね……ふたりの言ってたことを大袈裟《おおげさ》に伝えてたっていうか……たとえば、本当は「あのワンピにさっきのミュールはいまいちだと思う」って言ってたのを「あんなミュール履くくらいなら死んだ方がマシ。どういうセンス？」っていう感じで……。ほら、伝言ゲームってどんどん話が大きくなったり、変わったりしていくでしょう？　あれにも似てるのかなあ。

……うん、ちょっと反省してるの。でも、あれだよね？

このことと、エリナがアカリを突き飛ばしたのは関係ないよね？

不幸な事故だったんだよ、あれは。刑事さんもそんなふうに言ってたよね。

エリナだってアカリを殺したかったわけじゃないよ。助けに行ったんだけど、ちょっとした諍《いさか》いがあったみたい。あんまり詳しいことは聞いてないんだ。知りすぎると、もっと悲しくなるような気がして。

エリナはさあ、このあとどうなるんだろうね。でも裁判の傍聴とか、とても行けないよ。エリナだってあたしたちに来てほしくないと思うし。なんかいまは、四人でわいわいしていた頃が懐かしいね。もうあの頃には絶対に戻れないと思うと、寂しいよね……。

でも繭美さんが助かったのはよかったよ。あのときあたしがアパートにケータイ忘れたのは、もしかしたら偶然じゃないのかな。神様とか言うと大袈裟だけど、誰かが繭美さんを助けなさいって言ったのかもしれないよね？

え、やだ、テレビ見たんだ？

もー、ショックだよ。テレビって実物より太って見えるし！　あたしも一応録画して見たけど、最低だよ〜。もう二度と見れないって。あ、でもおばあちゃんになったら若い頃を思い出すのに見るのかなあ。あはは。え、靴？　そうなの、奮発しちゃったよー。でもあのマノロ、実はネットで中古を買ったんだよね。えへへ。でも四万したよ。痛い出費だったあ。しかもネット通販だと試し履きできないでしょ？　ヒールが細いから、体重がかかってやっぱりちょっと痛いのよー。

……そういえば、エリナって中学のときは太ってたって知ってた？

知らない？　あ、そうなんだ。ユッチも聞いてなかったんだ。ほんとに太ってたんだってて。それで、いじめに遭ってたって。信じられないよね。あの気の強いエリナが？　ってかんじ。それで、アカリにそれをおしえてあげたときさあ、なんか突然難しい顔して「チイ、それは誰にも言わないほうがいいよ」なんて言いだしてさ。いつもは悪口三昧《ざんまい》だったから、ちょっと引いちゃったよあたし。

なんかねー、アカリも少しそういう経験あったみたい。うん、いじめ。小学校のときで、短い間だったけど、無視されてて辛《つら》かったって言ってた。なんか、結構みんないろいろあるんだね。ユッチもそういうのある？　あ、ないんだ。あたしもないの。だからちょっとびっくりした。

え？　ああ、いとこから聞いたの。同い年のいとこがいて、中学のとき、たまたまエリナと同じ学校だったんだよね。遊びにきたとき、写真見せながらみんなの話してて、そんときに「この顔なんか見覚えあるー」って言いだして。美人になってたからびっくりりしてた。昔はころころしてたのにって。今のあたしより太ってたらしいよ？

ね。驚きだよね。ホントびっくり。

ところでさ、週末の合コンってなに着ていく？

〈参考文献・楽曲〉
「日本妖怪大事典」水木しげる・画
村上健司・編著
（角川書店）
「おかあさん」田中ナナ・作詞
中田喜直・作曲

本書は二〇〇九年十二月に小社から刊行された単行本を加筆、修正の上文庫化したものです。

この作品はフィクションです。実際の人物、団体等とは一切関係ありません。

妖琦庵夜話《ようきあんやわ》　その探偵《たんてい》、人《ひと》にあらず
榎田《えだ》ユウリ

角川ホラー文庫　Hえ3-1　18017

平成25年6月20日　初版発行
平成25年7月20日　再版発行

発行者―――井上伸一郎
発行所―――株式会社角川書店
東京都千代田区富士見2-13-3
電話/編集(03)3238-8555
〒102-8078
発売元―――株式会社KADOKAWA
東京都千代田区富士見2-13-3
電話/営業(03)3238-8521
〒102-8177
http://www.kadokawa.co.jp
印刷所―――暁印刷　製本所―――本間製本
装幀者―――田島照久

ISBN978-4-04-100886-7　C0193

角川文庫発刊に際して

角川源義

第二次世界大戦の敗北は、軍事力の敗北であった以上に、私たちの若い文化力の敗退であった。私たちの文化が戦争に対して如何に無力であり、単なるあだ花に過ぎなかったかを、私たちは身を以て体験し痛感した。西洋近代文化の摂取にとって、明治以後八十年の歳月は決して短かすぎたとは言えない。にもかかわらず、近代文化の伝統を確立し、自由な批判と柔軟な良識に富む文化層として自らを形成することに私たちは失敗して来た。そしてこれは、各層への文化の普及滲透を任務とする出版人の責任でもあった。

一九四五年以来、私たちは再び振出しに戻り、第一歩から踏み出すことを余儀なくされた。これは大きな不幸ではあるが、反面、これまでの混沌・未熟・歪曲の中にあった我が国の文化に秩序と確たる基礎を齎らすためには絶好の機会でもある。角川書店は、このような祖国の文化的危機にあたり、微力をも顧みず再建の礎石たるべき抱負と決意とをもって出発したが、ここに創立以来の念願を果すべく角川文庫を発刊する。これまで刊行されたあらゆる全集叢書文庫類の長所と短所とを検討し、古今東西の不朽の典籍を、良心的編集のもとに、廉価に、そして書架にふさわしい美本として、多くのひとびとに提供しようとする。しかし私たちは徒らに百科全書的な知識のジレッタントを作ることを目的とせず、あくまで祖国の文化に秩序と再建への道を示し、この文庫を角川書店の栄ある事業として、今後永久に継続発展せしめ、学芸と教養との殿堂として大成せんことを期したい。多くの読書子の愛情ある忠言と支持とによって、この希望と抱負とを完遂せしめられんことを願う。

一九四九年五月三日

陀吉尼《だきに》の紡ぐ糸

探偵・朱雀十五の事件簿1

藤木 稟

美貌の天才・朱雀の華麗なる謎解き！

昭和9年、浅草。神隠しの因縁まつわる「触れずの銀杏」の下で発見された男の死体。だがその直後、死体が消えてしまう。神隠しか、それとも……？　一方、取材で吉原を訪れた新聞記者の柏木は、自衛組織の頭を務める盲目の青年・朱雀十五と出会う。女と見紛う美貌のエリートだが慇懃無礼な毒舌家の朱雀に振り回される柏木。だが朱雀はやがて、事件に隠された奇怪な真相を鮮やかに解き明かしていく。朱雀十五シリーズ、ついに開幕！

角川ホラー文庫

ISBN 978-4-04-100348-0

ISBN 978-4-04-100664-1

ISBN 978-4-04-100036-6